子どものこころにふれる

整体的子育て

山上 亮

クレヨンハウス

はじめに

「山上さん、子育て講座やってくださいよ」と、ある日ふたりのおかあさんから言われたのは、いまからもう五年ほど前のことです。

少人数でほそぼそとはじめた講座でしたが、その後さまざまなご縁に恵まれ、各地の育児サークルや幼稚園、カルチャースクールなど、あちこちにお招きいただいて、いろんなところで整体的な子育ての方法を語ってきました。わたしはふだん、人に整体の施術をおこなったり、各地で子育て講座やからだを整えるボディワークの講習会をおこなったりしているのですが、そのなかでも子育て講座はいまや一番人気のある講座となりました。

わたしがおこなっている子育て講座のベースには、「野口整体」と「シュタイナー教育」という二つの柱があります。一般的に「野口整体」と呼ばれる野口晴哉《のぐちはるちか》という方がつくられた整体法は、深い人間観察に基づいた素晴らしい人育ての智慧が詰まったものです。「シュタイナー教育」は、ルドルフ・シュタイナーという方がつくられた教育メソッドですが、こちらもいまはたくさんの書籍が書店に並ぶほど有名なものとなりました。

この二つはそれぞれ異なる観点から人間を観察していますが、そこには深いところで通底した人間のとらえ方があります。それは人間の要求や運動を、それが具体的な行動や形になる以前の段階で観察していくというものです。そのためには自らの身体知や感覚といったものを磨いていかなくてはなりませんが、その研鑽《けんさん》のなかでときおり先の二つが交わる結び目にふと触れる瞬間があり、そのたびわたしは、その結び目の深さに幾度となく驚かされてきました。

本書では、みなさんの生活に活かせるよう、日常でおこなえる整体の具体的な手当ての仕方や、子どもとの接し方を中心に、現実の暮らしに関わるさまざまなことを取り上げてみました。いまからでも実践できる具体的な方法を知っていただくのとともに、それら具体的なことを深いところから支える結び目の気配を、少しでもみなさんに感じていただけたらと思います。

目次

秋のからだ

冬のからだ

子どもにふれるコツ

装幀　名久井直子
装画・挿画　佐藤香苗
写真　伊藤徹也
編集　伊藤書佳
DTP　森ゆり子

春のからだ

骨の動きをよくして、からだの変化を助ける時期

寒い冬にちぢこまっていたからだは、春になってぽかぽかしてくるとゆるみはじめます。活動期に向けて、後頭骨《こうとうこつ》・肩甲骨《けんこうこつ》と連動して骨盤が開いていくのです。それは、ちょうど女性の月経・出産の時期と似た動きです。

この季節は、それぞれの骨の動きをよくするとともに、からだを冷やさず、水分を充分摂《と》ることが大切です。骨盤の動きを悪くするので、目の使いすぎにも注意したいもの。親子ともに頭を休めて、新しいからだの変化に備えましょう。

肩甲骨をゆるめて花粉症に備える

「木の芽時」と呼ばれるこの季節は、自然界もにぎやかですが、ひとのからだもたいへんにぎやかな季節です。

「木の芽時」は、古くから精神的にも肉体的にも不調になりやすいと言われてきましたが、子どもの様子を見ていても、突然ヘンなことを口走ったり落ち着きがなくなることが多くなります。一年のなかで、もっともからだにいろいろな変動が出るのがこの季節ですが、とくにいまの時代の「春の変動」といったら、なんといっても「花粉症」をおいてほかにないでしょう。

整体的な観点からすると、花粉症というのは、春を迎えようとしてうまく迎えられないからだに起きる症状です。春というのは冬の寒さに閉じていた肩甲骨や骨盤が徐々に開いていく季節なのですが、その動きがうまくいかないと、からだのいろいろな変動が表面に現われることになるのです。

子どものように季節の変化に非常に敏感なひとは、その変動がスムーズにいかないと頭がのぼせたような状態になって、まるで白昼夢を見るような振る舞いをすることもありますが、それも春の変動の一種なのです。ですがこれは、あくまで季節の変動によるものなので、春の陽気に酔っ払っているんだと思ってそんなに心配することはありません。

いずれにしても、そんな奇妙な振る舞いや花粉症のような春のゴタゴタを少しでも緩和するためには、からだの春の変動をスムーズにしてあげることが肝心です。

そのための急処となるのが肩甲骨の可動性。肩甲骨の内側のふちをぐ〜っと押さえて、できればその裏側に指が入るくらいゆるめてあげるとよいでしょう（写真53ページ参照）。そして目を休めること。目のくたびれは上胸部のこわばりを生むので、目の温湿布などをしておくと、こわばった肩甲骨の動きが戻ってきます。あとはとにかく動いて汗をかき、「春だよ〜」とからだを目覚めさせてあげるとよいでしょう。

また、花粉症の臨時の応急処置としては、額の髪の生え際をトントンと叩く、というのがあります。これは、からだの過敏現象を抑える急処なので、とりあえず少しでも軽くしたいというときには使えます。ただ、あまり叩くと感覚が鈍くなってきてしまうので、叩きすぎに注意。

はなみず、くしゃみに困ったら

人前に出るときなど、はなみずやくしゃみの出るのが、どうしても都合の悪い状況ってありますよね。そんなときだけに使う応急処置として覚えてください。

まずは、手を軽く握ってグーにします。その手の甲の側で、おでこの髪の生え際をコンコンコンコンと、軽く叩く。こうしていると臨時ですが、はなみず、くしゃみがだんだんおさまってきます。あんまり多用しないほうがいいのですが、いちおう覚えておくと何かのときに役立つかもしれません。

子どものなかの「自然」を育てる－愉気《ゆき》

わたしはふだん、家庭でできる「手当て」として「愉気」というものを教えています。

「愉気」というのは、痛いところや気になるところに、掌《てのひら》で呼吸をするようなつもりでジーッと手を当てるという、ほんとうになんでもない、まさに文字どおりの「手当て」のことです。この「痛いところに手を当てる」というのは無意識的で本能的な振る舞いで、生物が進化のなかで身につけた「自然の手当て」なのです。

ある日の講座中、おかあさん相手のわたしの話にすっかり飽きた子どもたちが、いつものようにワーッと走り回っていました。そうしたら、ひとりの子が振り回していたおもちゃが、別の子どもの頭にゴツンとぶつかり、その子が泣き出してしまいました。おもちゃを振り回していた子もほかの子たちも、何事かと一瞬止まってその子を見守ります。

するとひとりの子が泣いている子に近寄り、顔をのぞきこみながら「痛い？　愉気してあげるね」と言って、ぶつけたところにスッと手を当てたのです。泣いていた子も素直にじっと愉気を受けています。そのうち涙も止まりだんだん落ち着いてきたと思ったら、愉気してくれているともだちの手を外し「もう大丈夫」なんて言って健気に笑いました。それを聞いて、愉気していた子も安堵の表情。そしてふたたびいっしょにあそびはじめたのですが、その光景にわたしは家庭で愉気を実践していることの大切さを、しみじみと感じさせられました。

その子は目の前でともだちが頭をぶつけて泣いてしまったときに、すぐさまケガした子を気遣い、パッと手が出ました。おそらくおかあさんはふだんからよく愉気を実践していて、子どもの調子が悪いときには、いつだってすぐ手を当て、じっとその子に集注しているのでしょう。その子にとってそれはごく普通の「自然の振る舞い」で、だからともだちがぶつけたときにも考えるよりも前にからだが動き「自然の手当て」ができたのです。愉気を実践してゆくということは、単なる応急処置にとどまらない、子どものなかの「自然」を育てる行為なんだと、子ども自身に教えられた出来事でした。

子どもの「からだの声」を聴く

「気」というと、自分から子どもへ何かの力を送り込むようなイメージをもたれるかもしれませんが、ちょっと違うんです。どちらかというと子どものからだの声を傾聴する。手を耳にして聴いていくというイメージのほうが近いかもしれません。

その子に意識を向けて、その子を感じる。掌でふれながら、脈や呼吸や体温を感じていく。

ありのままの状態をじっくり受け止められていると感じた子どもは、その集注に安心して自分本来の自然な状態にかえれます。こちらから何かするより、相手を感じることを大切にして子どもに手を当ててみてください。

あかちゃんにも話しかけてから接する

整体では、あかちゃんに対する「話しかけ」ということをとても大切にしています。それはまだ妊娠中のおなかの中にいるあかちゃんから、ことばをしゃべりはじめた幼児まで、いやもっと言えば大人になったって、とても大切なことです。

妊娠中のおかあさんには必ず「毎日話しかけをしてくださいね」とお願いするのですが、それは、そうすることで、おなかのあかちゃんの元気な成長につながってゆくというだけでなく、おかあさんやおとうさんにとっても、やがて生まれてくるわが子との対面の準備にもなるのです。

とくに、体感として「子ども」という存在をなかなか実感しづらいおとうさんにとっては、そのようにして生まれる前からどんどん話しかけ交流していくことで、生まれたあとにも慣れ親しんだ親密さをもって接していけるようになります。

また生まれたあとでも、オムツを換えるときや抱っこをするとき、ありとあらゆるときに「まず話しかけてから接する」というのは、とても大切なことです。刺激に敏感なあかちゃんに、呼びかけもなくいきなりパッと何かをすることは、ときに強いショックになることがあります。そういうショックがあったときには、数日後に緑色の便を出すので、もしそんな便を見たら、ちょっと数日間の振る舞いを思い返してみると、思い当たることがあるかと思います。

また、からだの面から言うと、妊娠中に日々きちんとおなかのあかちゃんに話しかけ、交流しているおかあさんのからだは、自分の「妊娠状態」というものにすっかり馴染んで心理的にも落ち着いていて、それが胸椎《きょうつい》四番という心臓・心理状態を表わす骨の部分のゆるみとなって現われています。この胸椎四番という骨は、産前産後の女性にとってはとても大切なところで、妊娠中のつわりにもつながれば、産後のおっぱいの出にもつながるし、育児ノイローゼのようなものにもつながってきます。

だから、あかちゃんには妊娠中から積極的に語りかけ、とくにおとうさんは、おかあさんのおなかに手を当て話しかけたり、胸椎四番という肩甲骨の間のあたりの骨に手を当て話しかけたりしてあげてください。それがとても大切な妊娠中の子育てになります。

胸がゆるんでホッとする方法

泣いているひと、元気のないひとに「大丈夫よ」って、背中をさすってあげることがあるでしょう？　悲しみの椎《つい》骨《こつ》とも言われる胸椎四番はそのあたりにあります。ちょうど肩甲骨の中間くらいで、ここに手を当てていると胸がゆるんで何かホッとしてくるのですが、みなさん知らないうちに、実践しているわけですね。

正確な位置は、首を前に傾けたときに飛び出る骨（頸椎《けいつい》七番と呼ばれます）の次にある骨から数えて四番目。この骨はおっぱいの出具合にもつながる場所なので、母乳をあげている方もここに愉気していくとよいでしょう。

スキンシップが自我を目覚めさせる

整体では手当てとして、何かあったらとにかく手をふれてゆくということをとても大切にしていますが、それはとくに乳幼児期においては格段に重要なことです。

皮膚というのは、わたしたちのからだのもっとも外側に位置する臓器で、わたしたちの「中身」を外側から区別するという役割を担っています。皮膚がなければ、体液は外に漏れ出てしまうし、外の異物は簡単に中に入ってきてしまいます。だから皮膚とは「わたしと世界の境界線」であるとも言えます。皮膚は、「わたし」という人間の姿かたちを崩さないために必要な型枠であるのと同時に、外からの異物の侵入を防いで「わたし」を守る免疫の最前線でもあるのです。

「ふれる」ということは、そんな皮膚にふれてゆくということですが、ちいさいときからいっぱいさわって、「わたしと世界の境界線」をはっきり感じさせるということは、それは「わたし」という自我を目覚めさせるための促しにもなっています。ふれられるたびに子どもは「わたしのカタチ」をはっきり感じる。ちょっと難しい言い方をさせてもらうなら「ふれられているところにわたしがいる」のです。

だからとにかくたっぷりさわってあげることが、子どもが自分という存在をはっきり自覚していく助けになります。

そしてやがて「わたし」というものがはっきり自覚されてくるにつれ、子どもは「他人」というものもまたわかってきます。「ふれられる」感覚というのは、「わたし」を感じるのと同時に「他人」を感じる、そんな感覚でもあるわけで、それはまさに他人とのコミュニケーションそのものなのです。

ある動物学の実験では、幼い頃に身体的接触がなかったサルは、大きくなってからほかのサルとうまくコミュニケーションができなかったり、子どもができてもふれられずに育児放棄してしまう、といったことが報告されています。

ひとどのコミュニケーションを「ふれあい」なんて言いますが、それはわたしたちがもっているほんとうに基本的な感覚であり、その感覚はまさに「ふれる、ふれられる」といった営みのなかで育まれるものなのです。子どもにはとにかくふだんからいっぱいふれて、ふれあいの感覚というものを育んでいってあげてほしいと思います。

からだのコミュニケーション

子どもたちを見ていると、しょっちゅうちょっかいを出し合っていますけど、あれは全部コミュニケーションなんですよね。指でチョンとつっついても、ケンカしながら腕をつねっても、ほっぺをギュウってつまんでも、通りすがりにおしりでドンって押したりしても、すべてがまさにふれあいで、「こんにちは！　元気？」っていうあいさつなんです。

ここぞというときのムギューだけじゃなく、ふだんから何気なくちょこちょこふれていること。それは親子のコミュニケーションの素地づくりのようなもので、とっても大事です。

ありのままを見つめると子どもは満ちる

気を抜く、気が向く、気になる、気がある、気をかける、気にしない……。日本語には「気」にまつわるさまざまな表現があります。それは昔から日本人が日常生活のなかで「気」というものを敏感に感じとり、またそれを大切な判断基準としてきたからです。現代人のように頭でっかちになってくると理屈を最優先し、そういう繊細な感受性を無視してしまいがちですが、子どものように、いちいち理屈で考えるという習慣のない頃は、まだとても繊細に「気」のようなものを重要な判断基準にしています。

わたしのところに来るあかちゃんたちを見ていると、みんなそろってママのお財布が大好きです。中からお札やらカードやらをバサバサと出しては、おかあさんがアワアワとそれを拾うという光景など見慣れたものですが、それはやっぱりおかあさんの「気」がいつもそこに集注しているからです。

大人に世話してもらえなければ生きてはいけない状態で生まれてくる人間の子どもにとっては、自分に「気」を向けてもらえるかどうかはいのちに関わる大問題なのです。

だから、「気の集注」に敏感に反応するのも当然のことで、子どもたちが「なんでこんなときに限って！」というタイミングで何かしでかすのも、「それをやられたら困るのよ！」ということを好んでしたがるのも、そうすると大人の「気」がその子に集注するからなのです。

そういう行動は頭で叱ってもなんの効果もないどころか、さらに助長しかねません。だってそうして集注してほしいんですから。大人だって自分のことをかまってくれない連れ合いには、意地悪のひとつでもしてみたくなるくらいなのですから、これは理屈ではありません。ことばにできないから、あるいはするのはイヤだから態度で示しているわけです。「怒ってもいいからこっちを見てほしい」と。

ひとが「自分に対する気の集注」を一番感じられるのは、自分のありのままを見つめてもらえたときです。見ているひとの都合ではなく、自分の事情に寄り添って見てくれていると感じられたとき、ひとは一番満ちてきます。少しの間でいいから、子どもにじっと集注してあげるということ。自分の都合やその子以外のすべてを差し置いて、このときだけは「あなたしかいない」というくらい濃密な時間をもつということ。その徹底した「気の集注」は予想以上に子どもの変化を促すことでしょう。

梅雨時はこころも毒消しを

六月になると、列島もいよいよ梅雨入りを迎えます。日本は四季があるとよく言われますが、この梅雨の独特の気候から言えば、これも加えて五季があると言ってもよいくらいに思います。

からだの面から言えば、梅雨時というのは自家中毒状態になりやすい傾向があります。ものは傷みやすいし、湿気が高くて息苦しいし、雨だから外に出てからだを思いっきり動かすこともできない。そうするとエネルギーの発散がうまくいかずに、からだのなかに抱え込むことになるのです。焚火《たきび》をイメージしてもらえばわかりやすいと思いますが、燃料である薪がシケって燃えづらいうえに、酸素の供給がうまくいかなければ、火は勢いよく燃えることができずに、ブスブスと黒い煙ばかりを吐き出すことになります。それと似たことが、からだのなかでも起こるのです。

この季節は、毒消しになるような食べもの、つまり味噌や梅干しやショウガや緑茶などを摂ることをこころがけ、そしてエネルギーがよく燃焼できるよう呼吸を深くしていくことが大切です。呼吸を深くする方法はいくつかありますが、いちばん簡単にできることは「座骨伸ばし」（写真54ページ参照）です。足先を手で持って前屈してもいいし、大股で歩いてもいいので、太ももの裏側をよく刺激して伸ばすこと。そうすると骨盤の前後運動がスムーズになって息が深くなってきます。

あと、わたしはよく「テルテル坊主をつくるといいですよ」なんてことを言います。「え？　テルテル坊主？」と思われるかもしれませんが、テルテル坊主をつくるときに、首をグイグイねじって、ひもでギューッとしめて、片っ端から軒下に吊るしていくなんて、ちょっと見方を変えてみればなかなかすごいことをやっていますね。でも、エネルギーが鬱滞《うったい》しやすい自家中毒気味な季節だからこそ、このようなまるで人身御供《ひとみごくう》のような振る舞いに、何か流れていくものがあるのです。

雨が続いてイライラしやすいときに、それをひとにぶつけて険悪なムードを呼び込む前に、親子で「明日天気になあれ」と言いながらテルテル坊主を吊るしていく。それが明日の天気のみならず、自分のこころを晴らしていく祈りにもつながっているということは、家の風通しをよくしておくために生み出されてきた、古い民衆の知恵なのだと思います。

呼吸を深める大股歩き

「あの角を曲がってうちの玄関まで、大股で歩こう！」とか、公園で「よし、すべり台まで大股で歩こう！」と言って、大きく足を踏み出しながら「1！2！　1！　2！」って歩く。ほんの30歩ぐらいで、いいんです。

それだけで、骨盤の前後の動きがスムーズになって深い呼吸になってきます。最近、息が浅いなぁと思ったときは、ぜひ、おためしを。

夏のからだ

呼吸を深くして、暑さを乗り切る時期

人間は長年、狩りや農耕をおこなう夏に活発に動きまわってきました。ですが、最近の夏の暑さは「猛暑」と呼ばれるほど、いまだかつてないもの。夏の暑さにまいってしまうのは、呼吸器の疲れのために、循環器の腎臓や心臓がいっしょに停滞してしまうからです。

夏の暑さを乗り切るためには、大股で歩いたり、足の指をひっぱったり、膝や肘の裏といった手脚の裏側を伸ばして、呼吸を深くし、汗をしっかりかくことがポイントになります。

クーラーで首などを冷やさないことも大切です。

ケガや虫刺されの急処「化膿活点《かのうかってん》」

夏休み本番、家族みんなで山や川や海に行って目いっぱいあそぶ季節ですが、自然のなかにはやはり危険もつきもので、転んで擦りむいたり、虫に刺されたりと、いろんなケガをすることも多いと思います。

整体ではそういうケガや虫に刺されたときの手当てとして、「化膿活点」というところを押さえます。場所としては二の腕の外側、肩と肘のちょうど間くらいの、筋肉の少ないところ。そこをグーッと押さえられると、指がジーンとしびれるところです。ここはあらゆる化膿の傾向、血液変動のときに使う急処で、たとえばケガや虫刺され、動物に噛まれたなんていうときの応急手当てとしてよく使います。

皮膚を切ったり虫に刺されたりして血液の中に何か異物が入ると、からだというのはその血液の異変を敏感に感じ取ります。すると背骨の胸椎七番というところに変動が出るのですが、これが先ほどの化膿活点と深い関係があるのです。

この胸椎七番という骨は整体では不安や恐怖といったものと関係すると言われているのですが、血液の中によくわからない異物が混入しているということは、やはりからだにとっても恐怖なのです。よく見ていると怖がっているひとは、自然と自分の化膿活点に手を当てたりしていますが、たしかにそんなときに手を当てていると少しホッとしてきたりもする、そんな場所です。

手当てとしては、まず出血あるいは化膿している側の腕をとり、化膿活点にあるちいさなかたまりのようなものを探します。見つけたらそれをジーッと押さえ、しばらく押さえたらグリンとはじく。はじかれるときにはちょっと痛いですが、ケガした場所から再び血がぱっと出たりして、なんとなくからだがすっきりした感じがします。

もしわからなければ、化膿活点の部分を両手で包み込んであげるようにして、ジーッと愉気の手当てをしてあげればよいでしょう。

また、極端なことを言えば、注射なども血管に直接針を刺して異物を注入するという意味では、「虫刺され」に似ています。だから同じように注射のあとの手当てとして「化膿活点」を愉気しておいてあげると、経過がスムーズになるので覚えておかれるとよいと思います。

「化膿活点」の押さえ方

二の腕の外側、肩と肘のまんなかあたりのへこんだところを親指で押さえると、腕の奥にちょっと硬いコリコリしたものがあります。うまく押さえられると指がしびれた感じがするところです。そこを軽くじーっと押さえたら、コリコリを乗り越えるようにグリンとはじく。強くやりすぎると二度とさわらせてくれないかもしれませんから（笑）、あまり強くやらないように。はじいたあとは掌でやさしくつつんであげてください（写真56ページも参照）。

打撲は速度に注意

夏になり外であそぶ機会が増えると、当然子どももケガをすることが増えると思います。整体では打撲というものに一番気をつけますが、そのなかでもとくに気をつけなければならないのは、打撲の「速度」というものです。

たとえば「足を滑らせて階段から転げ落ちた」なんていうときでも、階段の上のほうからゴロゴロと落ちた場合と、最後の二、三段で足を滑らせてドスンと床に落ちた場合では、じつは最後の二、三段で足を滑らせた場合のほうが、からだに及ぼす影響としては大きいのです。階段の上から落ちたほうが、全身をぶつけてケガも派手なように見えますが、最後に足を滑らせて「あっ」と思った瞬間に床にからだを打ちつけたほうが、その衝撃にからだが対処できず、体調全体のバランスを崩すことがあるのです。

そのように速度の速い打撲は、一見あまりひどいケガではないように見えます。血も出ていなければ腫《は》れもない。痛みをあまり感じない場合もある。けれどもしばらくしてから奥のほうが痛み出したり、熱が出たり、気持ち悪くなったりと、全体的な変動となって出てくることがあります。

そのような打撲を見極めるときに、だれでもできるかんたんな方法としては「脈と呼吸を見る」というものがあります。

ひとはだれでも「吸って吐いて」という一呼吸の間にだいたい四回くらいの脈を打っています。これを「一息四脈《いっそくしみゃく》」といって、生命が生まれながらにもっている自然のリズムなのです。この「一対四」というバランスさえ保たれていれば、ひとまずは安心できます。けれどもこれが、たとえば「一対二」であったり「一対八」であったりしたならば注意が必要です。その場合は、骨の変動や内部の出血を伴うこともあるので、すぐさま専門家に診てもらったほうがよいでしょう。

ただ、いずれの打撲においても、まず落ち着いてゆったりとした呼吸でぶつけた箇所に手を当てることが、何より一番の手当てです。じっと愉気をしてもいい。やさしくさすってあげてもいい。この最初の手当てをしたかしないかで、のちのちの変動がまったく異なるので、これだけはぜひともやってほしいと思います。

打撲の程度を見極める脈と呼吸の見方

片手で子どもの手首の脈をとり、頭のなかで脈拍を数えながら、もう片方の手で子どもの呼吸に合わせて指を折っていくと、かんたんに脈と呼吸を同時に数えられます。呼吸は、「吸って吐いて」で一呼吸。一呼吸の間に脈を四つ打つという「一息四脈」がバランスのよい状態の目安です。

打撲してすぐ、ワーッと泣いていたりしてまだ落ち着いていない間は数えるのは難しいので、子どもが泣きやんで、ちょっと落ち着いてきたときに確認してみてください。

ケガにこころを残さない

日本では昔から「身心一如《しんしんいちにょ》」と言われ、からだとこころはひとつのものであると考えられてきました。だから手当てをするときも、からだの状態だけでなくこころの状態もともに観ていくことが大事で、これができているかどうかで実際の治癒《ちゆ》の過程もずいぶん変わってくるものです。

たとえば打撲においても、ケガ自体はあくまで肉体的なものであっても、痛みの感受性や治癒の過程では、心理的な状態が非常に大きくからんできます。「負けいくさは治りが悪い」ということばがありますが、何かケガをしたときに、そのことに関してなんらかの不満や未練があると、痛みは増すし、治りも悪くなります。「○○のせいでケガをした」なんていうと、その不満が解消するまでなんだかんだ言ってぐじぐじと痛むのは、みなさんも経験があるのではないでしょうか。そんな不満や未練がいつまでもこころに残っていると、それが痕《あと》に残ることにもつながりかねません。だからケガをしたときには「ケガにこころを残さない」ということが大事なのです。

子どもがケガをしたときに、ケガにまつわる出来事に不満や未練を残させない。そのためにはまず最初の訴えを丸ごと受け入れること。「ケガをした！」と訴えてきたときに、つい大人は「これくらい大丈夫よ」と声をかけてしまいがちですが、そうではなくて「痛かったね」と訴えを認めてあげること。すると訴えを聞き入れてもらったということで、子どもはまず安心して、そこで不満が残らないのです。コツとしては「痛いね」ではなく「痛かったね」と過去形で認めること。これもまたケガにこころを残さないための声かけで、訴えを認めながらも過去のものとして流してゆき、いつまでもそこに囚《とら》われないようにこころの角度を変えてゆくのです。そしてしばらくじっと手を当てて集注してもらっていると、子どももやがて呼吸が落ち着いてきます。そのときはじめて「ホラ、もう大丈夫」というこちらのことばがすんなりこころに入るのです。

そしてさらに言えば、そういうときこそ「自分のからだは自分で治る力がある」ということを教えてあげるよい機会です。「こうやってからだは自分で治っていくのよ」と体感をもって教えてあげれば、それが子どもにとって大きな自信となることでしょう。

ケガの痛みにはまず寄り添って

ケガをしたとき、イヤなことがあったとき、大事なことはそれを「手放す」ということです。「なんでこんな目に！」とか、「あの子のせいだ！」とか、いつまでもそこに囚われていないで、パッと切り替えられるということ。そのために大切なのは「わかってもらえた」という体験なんです。だれにもわかってもらえない限り、いつまでも手放せないんです。

ひたすら子どもに集注して「痛かったね」と、まずその子に起きた悲しい出来事に寄り添ってあげること。すべての手当ての着手は、そこからはじまります。

「おまじない」の威力

子どもの頃、ケガしたときに「痛いの痛いの飛んでいけ！」なんて言うおまじないを、おかあさんやおとうさんにかけてもらった記憶はありませんか？「どこに飛ばそうか？　あっちにしようか？　こっちにしようか？」なんて言われて一生懸命選んで「えいっ」と痛みを遠くに飛ばす頃には、すっかり笑顔になっていた。そんな思い出がある方も少なくないと思います。

おまじないの効用というのは予想以上に大きいもの。頭痛がするからとおでこに絆創膏《ばんそうこう》を貼って「治った！」なんて言ってる子どもを見ていると、ほほえましくて仕方がありませんが、それで子どもに笑顔が戻る以上は、「非科学的」と言って一笑に付すにはもったいないものがあります。

整体では「痛いということと、痛いと訴えるということは違う」と言われます。「イタッ」と「イッタ〜イ」では確かに違います。後者のほうが何か余分なものがありますね（笑）。世のなか、「痛いということ」に対する手当てはしても、「痛いと訴えること」に対する手当てはなかなか見過ごされがちです。そこでおかあさん方には、そこのところの手当てのためにも、ぜひとも子どもにとっての魔法使いになっていただきたく、ここにおまじないのコツというものを記しておこうと思います。

　おまじないをかけるためには、まず子どもの呼吸をよく観ること。痛がる子どもの呼吸が浅く早いうちは、おまじないをかけるにはまだ早いです。そのときは子どもの「痛い」という状態をすっかりそのまま受け入れてあげることが大事であって、相手の呼吸を無視してはおまじないは効きません。おまじないをかけるには、子どもの呼吸が少し落ち着いてくる頃合いを見計らって、おもむろに、いままでとは違う様子で、子どもにじっと意識を集注しておこないます。呪文《じゅもん》はどんなものでもかまいません。なくてもいい。本気で集注するということが秘訣なのです。

　まずは痛みの部分に対する集注。集注。集注。そして、子どもの意識がその集注に引かれて静まってきたところでおもむろに転換。転換の仕方は「遠くへ飛ばす」「瞬間移動」などさまざまですが、その子がもっとも反応するものを選べばいいでしょう。とにかくこれは一度やってみるしかありません。もしそのコツを身につけられれば、おまじないはあらゆる場面で役立つことでしょう。もちろん「普通の手当て」も忘れずに。

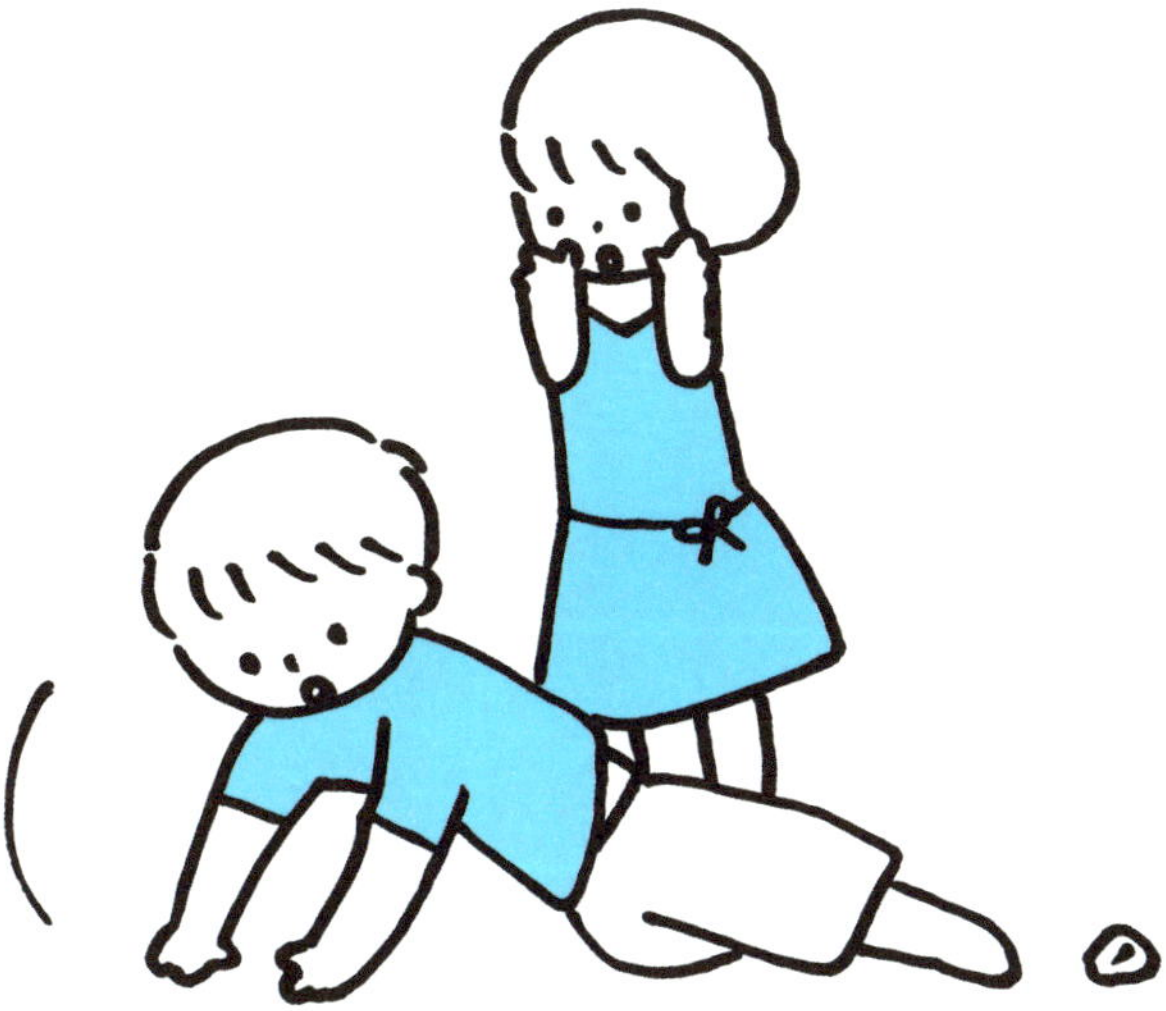

ママは魔法使い

子育てにおいて、おまじないっていうのはすごく大事ですね。ぼくは女性、とくにおかあさんはみんな魔女だと思っているんです。その気になればいつでも魔法が使える。まずそのことに気づいてほしい。

こころがパッと変わる。世界がパッと変わる。そんなことばのかけ方があるんです。それがおまじない。

おまじないと言えるかどうかわからないけど、このあいだ、転んでしまって「エーン」と泣きながら起こしてくれるのを待ってる子がいてね。どうしようかと思ったんですけど、ぼくはその子の前にいきなりバッとふせて「チャンピオン、ダウン！　ワン、ツー…」と言いはじめた。そしたら彼は一瞬きょとんとしたんですけど、そのあとガバッと立ちあがったんです。そして二人で優勝を喜んだ。

なんていうか、ケガや病気があってもね、そのことに囚われすぎないように、こころの角度をふっと変えてあげて欲しいですね。

子どもの「やりたい!」を抑え込まない

整体ではからだに現われるいろんな症状も「自己調整の現われ」としてとらえるので、基本的にはその経過を全うさせるということを考えます。熱が出たなら熱を全うさせる、下痢をしたなら下痢を全うさせる。必要があってからだに現われているのだから、きちんと全うさせればそれによってからだの調整がおこなわれ、また症状も治まると考えるのです。

からだのなかから湧き起こってきた要求や運動をきちんと全うさせるということは、とても大事なことです。からだのなかから出てきたものをきちんと出すということは、これすなわち「デトックス」（排泄《はいせつ》）ですが、これがおこなわれないと、からだのなかにいろんな余計なものを抱え込んだままになってしまいます。

たとえば、子どもが何か硬いものを投げようとしたときに、大人は当然「危ないから」と投げるのをやめさせます。けれども、そのとき子どものなかでは「投げたい」という要求が抑えられたことになります。だからそれだけで終わらせてしまうと、子どもは抑えられた要求を抱え込んだままになってしまい、それが別のかたちで現われたりすることになります。たとえば「投げる」という腕の運動が、「叩く」という別の運動になるかもしれない。注意深く観察するひとは、そこに共通する「原運動」（運動の原型イメージ）をすぐさま見てとれることでしょう。

やむを得ず子どもの運動を制止する場合は、それに類する別の運動を用意してあげる必要があります。子どもに投げられて困るものなら、代わりに安全な綿のボールを投げさせてあげたり、投げても大丈夫な場を用意してあげたりすることができるでしょう。あるいは、ものを持って腕を大きく動かすあそびをいっぱいやらせてあげることもできるかもしれません。そこのところの工夫は、大人が知恵をしぼって用意してあげるべきところです。子どもの素朴な要求を、現実に可能な形にしてあげるのが、大人の知恵というものです。

子どものなかから湧き起こってきた要求を、うまく表に現わし全うさせてあげるということ。子どもの素朴な要求と、大人の賢い知恵が合わさることで、子どもは素直に表現することができ、その滞りのない表現（排泄）が子どもを健やかに育てます。

卒乳・オムツはずしは関係育て

整体では、卒乳もオムツはずしもずいぶん早い時期からおこないます。歯の生えはじめや立ち上がりもなるべく遅いほうがいいと言われている整体の子育て観のなかにあって、それらだけはなぜか卒業の時期が早いのです。わたしははじめ、それが不思議でなりませんでした。けれども、いろんな親子の育児の様子を見たり聞いたりしているうちに、やがて少しずつそのことの意味が浮かび上がってきたのです。

早いうちからオムツをはずしていると、子どもがいつおしっこをするか、親はたえず気を配っておかなければなりません。だって、じゅうたんの上でジャーッとやられてしまってはたまりませんよね。そうすると結果として、親はいつでも子どもの様子を細かく観察し、少しでもおしっこの素振りがあれば、「おしっこしようか」と汚される前にことばをかけることになります。整体では「子どもは気を食べて育つ」なんて言われるくらい、「子どもに気をかける」ということを大切にしていますが、そういう点からすると、結果として、とてもよい関係ができているということになります。

卒乳が早いというのも同じことで、卒乳するためには補食を進めていかなければならず、そのためには、どれが好きでどれがきらいか、それこそ一生懸命子どもの様子を見ながら食事を進めていかなければなりません。すると結局、オムツはずしも卒乳も、それをきっかけとして、より深く子どもを見て、子どもに聴いて、子どもの要求を感じてゆくための仕掛けになっているのです。

そのように、早いうちからお互いのコミュニケーション感度をより高めておくことが、のちのちどれだけ助けになるかは計り知れません。そうして育った子どもは、いちいち大げさなジェスチャーをしなくても親には話が通じるものだと思っていますし、親も子どものちょっとした変化に気づき、察することができるようになっています。

子どもを育てるのはコミュニケーションです。ひとと話をすることも、お手伝いをすることも、あるいはものを食べて排泄することや、暑いときに汗をかくということも、すべてある種の「世界とのコミュニケーション」だと言えるでしょう。それがスムーズにおこなわれるようにしてあげること。それが整体の子育ての秘訣です。

「コミュニケーション感度」を高めるには

「子どもに気をかける」とか「コミュニケーション感度を高める」ということは、とっても大事なことですが、どうやったらそういうことがスムーズにできるようになるでしょう。

ひとつは、日頃から頭の中を考え事や予定などでいっぱいにしないということです。頭の中がいっぱいだと話しかけられても気づかないくらい感度は鈍りますし、目の前のことが見えなくなります。子どもはつねに「いまここ」を生きていますから、大人が考え事をして「いまここ」から離れてしまうと、子どもとの交流は起こらなくなります。忙しいからと、「心ここにあらず」のままで子どもと接していると、ことばのやり取りはあっても、気の交流は起きていないのです。敏感な子どもなら「ママはここにいない」と感じることでしょう。

考えなければいけないことがいっぱいあるのはわかります。けれども3分、いや1分でもいいから、子どもと話をするときは「いまここ」に帰ってきてほしいのです。そうすると子どもはじつに雄弁にいろんなことを語っているということに気づくでしょう。それは表情かもしれない。仕草かもしれない。声の質かもしれない。ことばにならないことを、からだ全部で語っているのです。そしてそれに気づいたら、そのメッセージに対して返事をしてあげること。その振る舞いがそのまま「子どもに気をかける」ということであり、ことばより深いコミュニケーションでもあるのです。

そしてもうひとつあげるなら、「子どもの予想外を愉しむ」ということでしょう。子どもはみんな予想外なことをするもの。困らされることも多々あるかもしれませんが、どこかでそれを愉しむということ。そうするとまずとてもラクになるし、何かあってもあまりカリカリしなくて済みます。そして何より大事なのは、子どもの要求というのは、こちらにそういう心構えができて、はじめて見えるようになってくるということです。

頭をポカンとして、予定や予想や考え事に縛られないこと。そして子どものメッセージにその場で返事をしてあげること。それが子どもとともに「いまここ」にいるということです。

気づいたら動く

とにかく、気づいたらそのとき動く。それがまさに直感です。それはやればやるほどどんどん磨かれてきます。予定や都合で動くだけじゃない。そのときそのときの状況にパッと反応して動くということ。「あ、ちょっと寒いかな」と感じたら、さっと1枚上着を着せる。「止めないとケガしそうだな」と感じたら、すぐさまひと声かける。

そんな大人の振る舞いに子どもは守られているし、そして何が大切なことなのかをからだで学んでいるんです。ひょっとしたら一番大事な教育であるかもしれない。

子どもを見て、気づく。気づいたら、動く。そのためには自分が気づいたことを大切にしてください。母親の直感って、けっこう正しいですよ。あとはそれを動くだけです。

からだの声を聴く時間
—亮さんといっしょに手当ての lesson

モデル / 大坂谷温心

撮影協力 / ワイズプロダクト

足湯

「からだが冷えてしまった」、「風邪、引いたかな」と思ったときは、足湯をします。

冷えの急処を押さえる

足湯の前におこなっておくとより効果的。冷えの影響が抜けていきます。

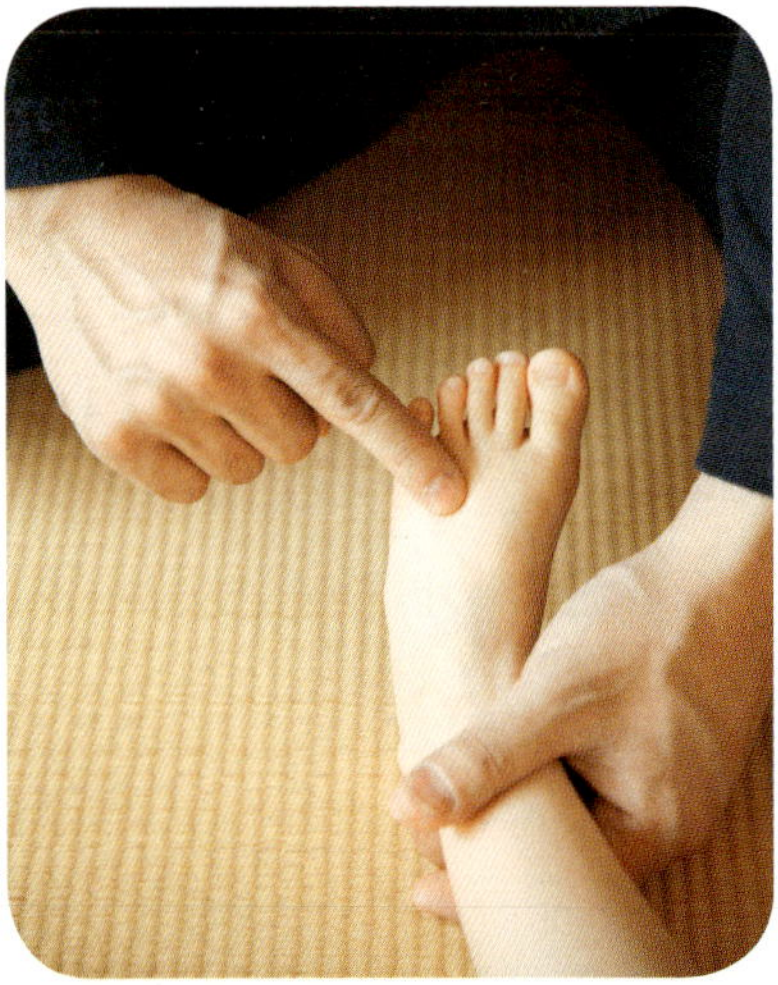

①3、4番目の指の間を甲のほうへのぼっていくと、それぞれの筋が狭まってくるところがあります。

①洗面器に、入浴温度より2～3度高めの湯を張り、くるぶしまで浸けましょう。その状態で、約6分。
②足を浸けている間にお湯が冷めてくるので、差し湯を。差し湯は熱湯ではなく、60～70度くらいにしておくと安心。お湯を差すときは、子どもの足にかからないよう注意して。お風呂場でシャワーのお湯を使うのもかんたんな方法です。
③時間がきたら足を上げてよく拭きます。拭いたあと、両足の色を比べて赤くなっていないほうの足をさらに2分、お湯に浸けます。終わったら足や指の間をよく拭き、最後に水を飲みましょう。

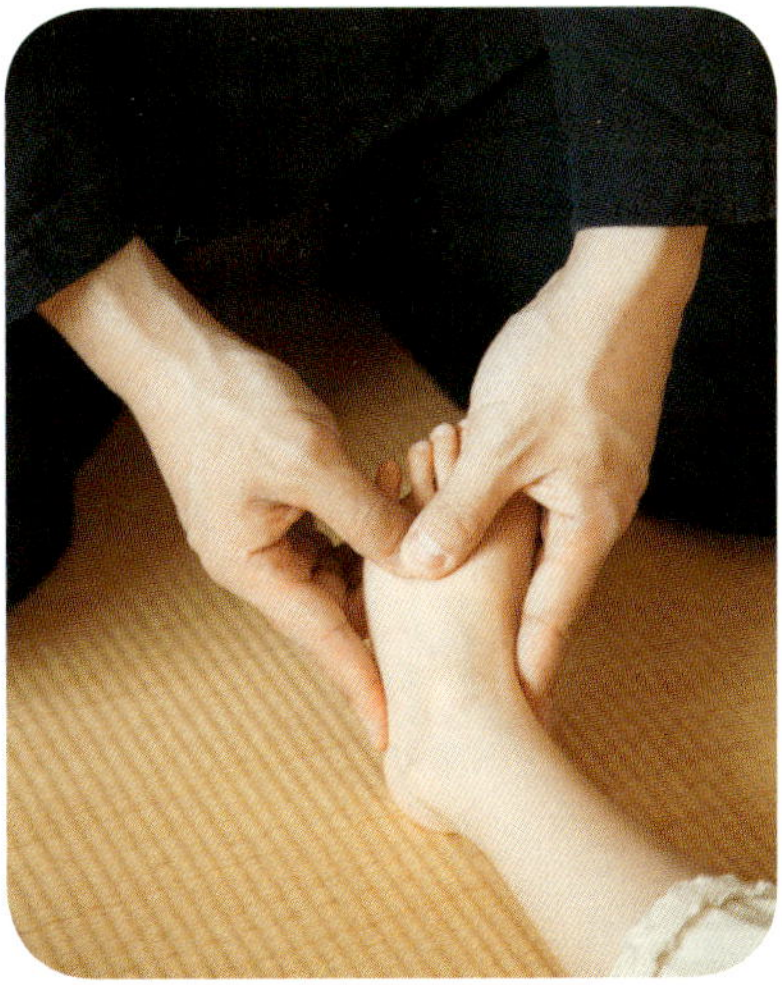

②そのあたりを広げるようにグーッと押してしばらくそのまま。そのうちつまっていた指の間が開いていきます。

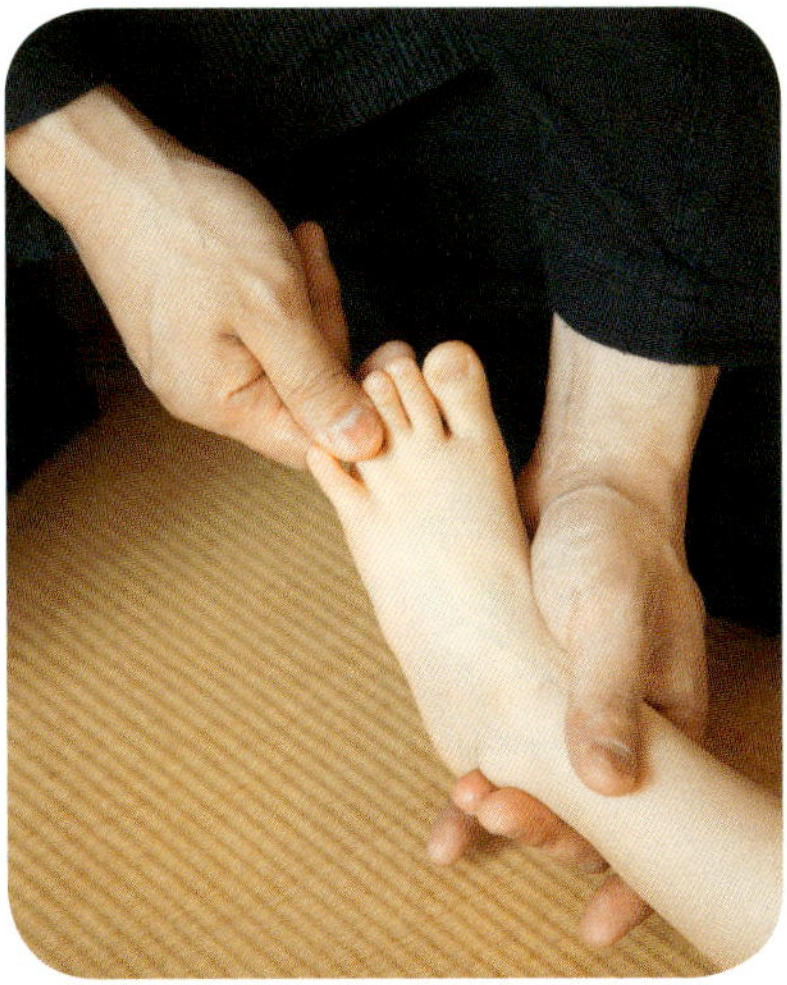

③最後に薬指を軽くギューッとひっぱって終わります。

目の温湿布

子どもも何かと目を使いすぎの昨今です。
ポカーンとしながら、温湿布タイムを。

①やや熱めのお湯で、おしぼりをつくります。時間のないときは、ぬらしたタオルを電子レンジでチンしてもいいでしょう。ちょっと熱いかなというくらい。

②おしぼりを目の上にのせて５分くらいそのまま。何も考えずにポカーンとします。冷めたら裏返したり、もう一度お湯でしぼったりして、目のくたびれが抜けるまで。

肩甲骨のゆるめ方

春のからだの変動をスムーズにするのが、肩甲骨。ここをゆるめておくことが花粉症のような変動を軽くするポイントでもあります。

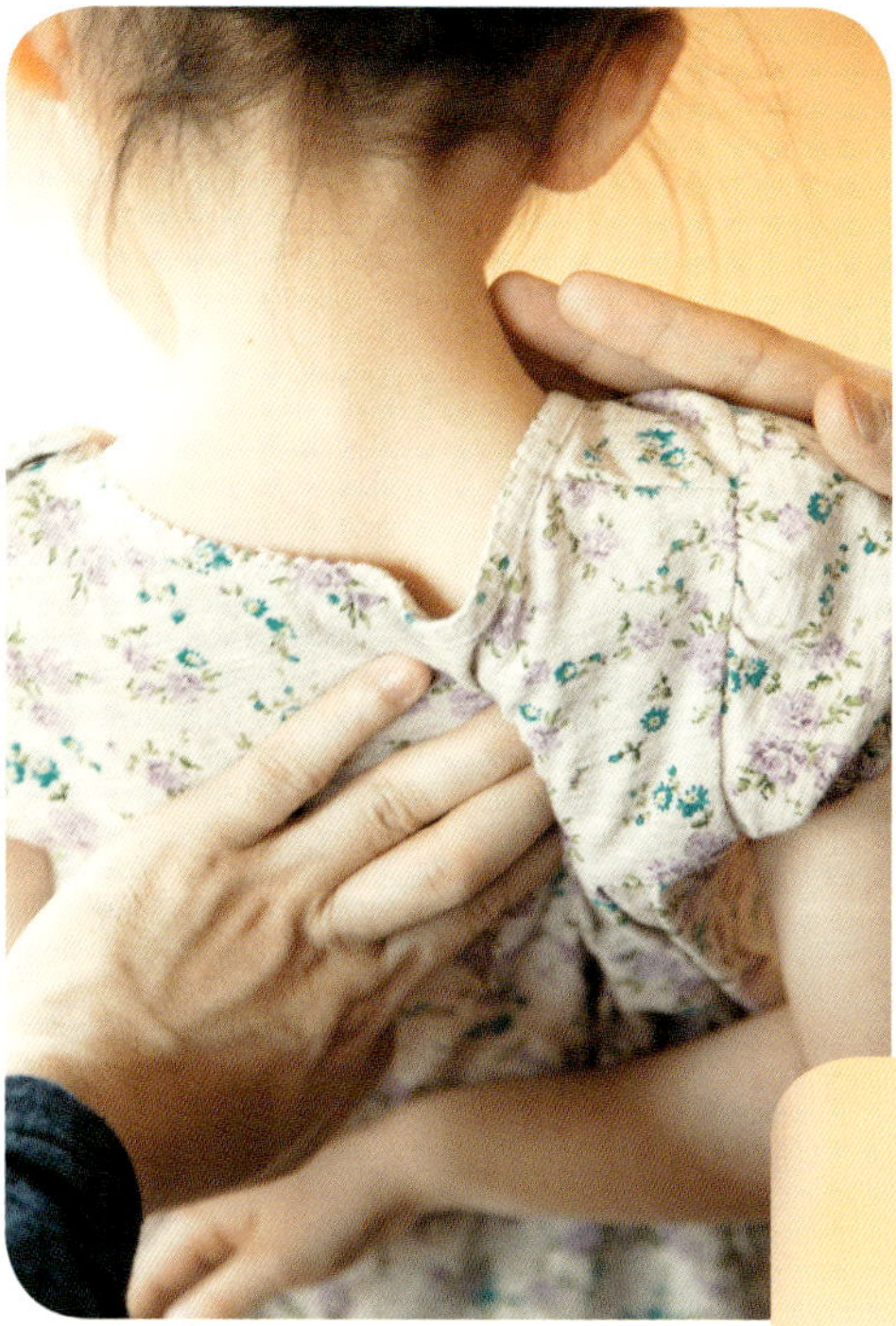

①ゆるめる側の手を、曲げたまま背中に当てる。

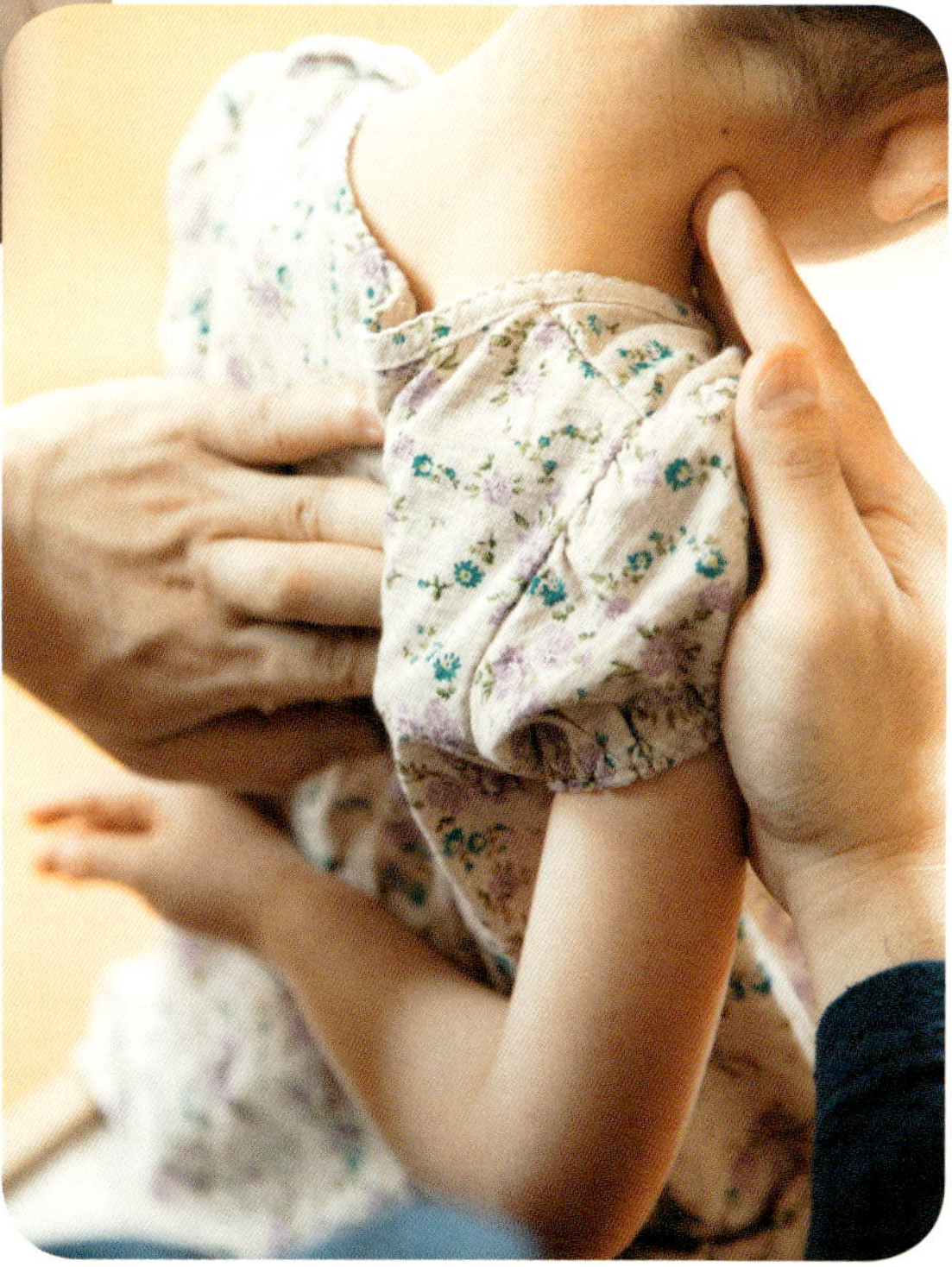

②肩の力を抜いてもらい、肩甲骨の下に手を入れてゆるめていきます。

座骨伸ばし

呼吸を深くする方法に、脚の裏を伸ばす「座骨伸ばし」があります。

①床に仰向けに寝た状態で、足首を片手で持ち上げるようにします。

②膝に反対の掌を押し当てるようにして、脚の裏の筋がゆっくり伸びていくように、子どもの頭側に脚をたおしていきます（写真左上）。筋がじゅうぶん伸びたらポッと力を抜いてゆるめます（写真左）。これを何回か。

看病のときの肝臓への手当て

下痢や嘔吐、あるいは発疹が出たときは、肝臓の近辺に手当てをします。あらゆる排泄の急処となるので、何かあったら手当てしておきましょう。

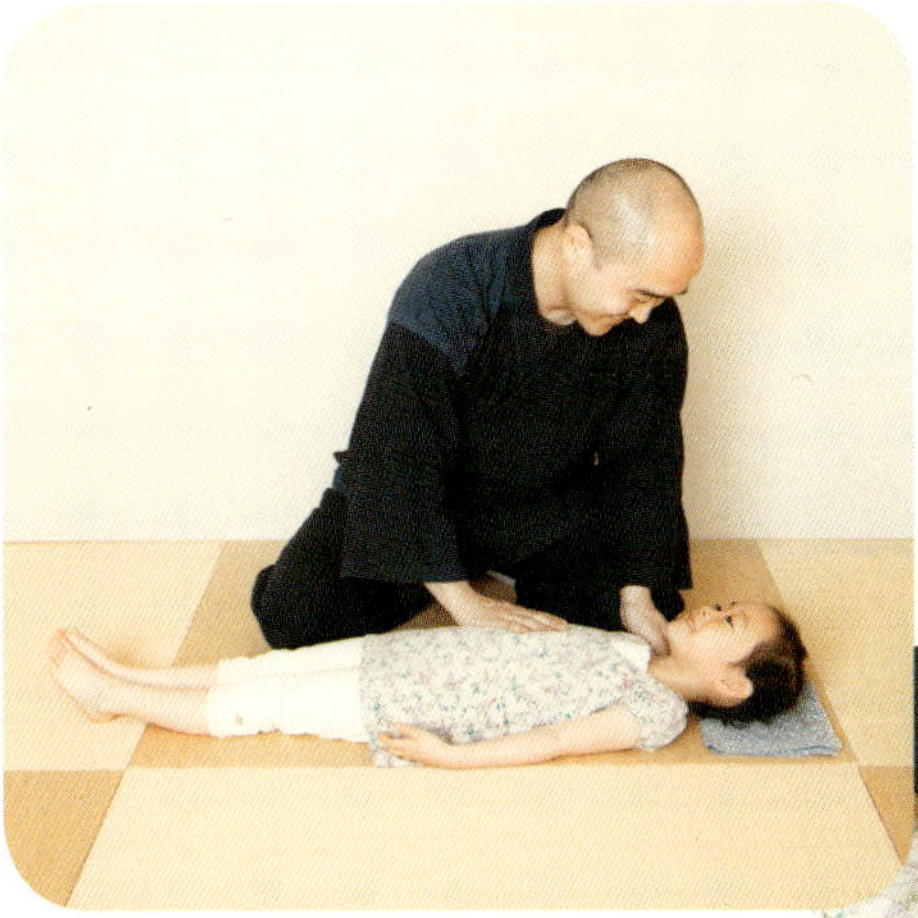

肝臓は、右側の肋骨の下端あたりにあります。肋骨に半分かかるくらいに右手を当ててジーッと愉気をします。掌で呼吸するようなつもりで。
左手は首や肩のところに当てます。

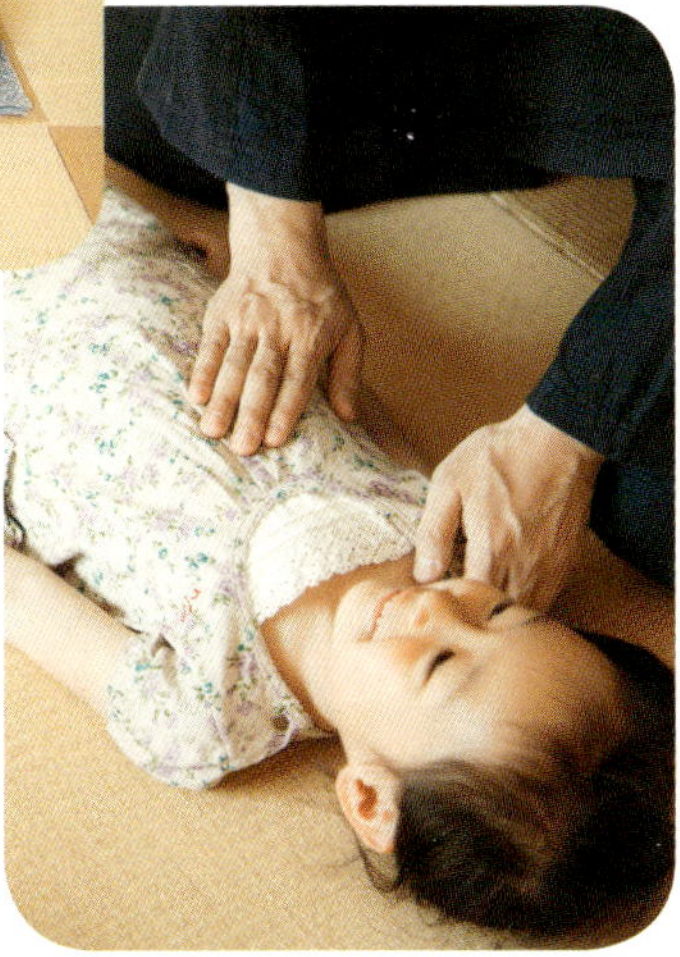

後頭部の温湿布

熱のあるとき、微熱が続き、熱が出切らないというときにおこなうと、スッキリします。


後頭部には体温調節の中枢があり、この部分を刺激するために温めます。

熱い湯につけてしぼったタオルをちいさくたたみ、後頭部に当てます。

冷めたら、またお湯でしぼって当てる。熱さと、タオルをとりかえているあいだに冷えるのと、この温度差の刺激が、熱の誘導にはよいのです。子どもは8分程度おこなってください。大人は40分程おこなうとよいでしょう。

化《か》膿《のう》活《かっ》点《てん》をはじく

ケガや虫刺されの回復を助ける手当て。
化膿したり炎症を起こしたりしているときの急処です。

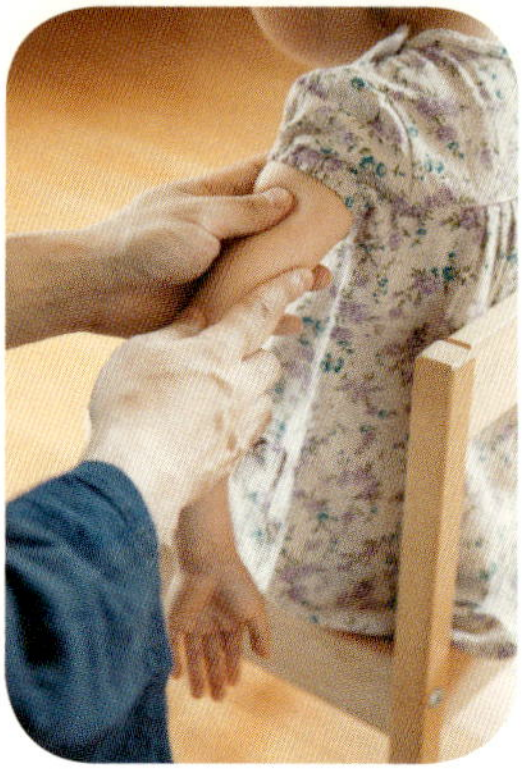

①肩と肘の間、腕のやや外側に、押さえるとコリッとする場所が。それが化膿活点。強くはじくと、指先がびりびりします。

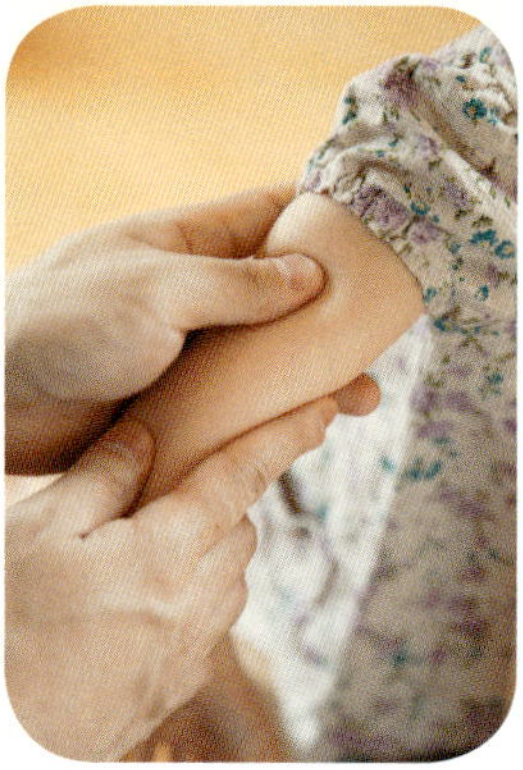

②ケガをした側、ケガが左側なら左腕の化膿活点を押さえます。ジーッと指を当てるように。

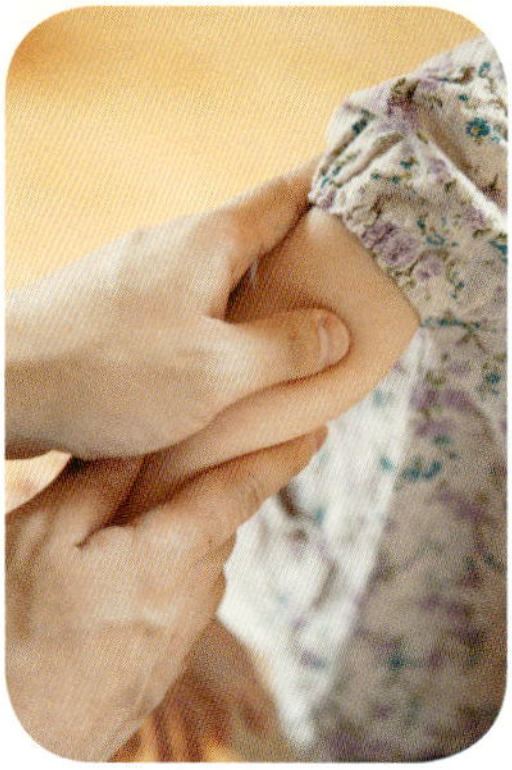

③そして、コリッとする場所を乗り越えるように指をはじきます。

④はじいたあとは、化膿活点を温めるように手を添えてください。ケガ以外に、怖くて不安なときにも温めるように手を添えるとほっと安心します。

秋のからだ

冷えの手当てが大事になる時期

秋も、春とならんで、からだがもっとも変化する時期。冷え込むにつれ、開いていた後頭骨、肩甲骨、骨盤が閉じていきます。このときにからだを冷やしたりすると、からだのねじれの原因に。このねじれは腎臓や膀胱《ぼうこう》などの泌尿器と深く関わっているため、腎臓のあたりに温湿布をすると体調がよくなります。

夏の汗をしっかり出し切るのと同時に、冷えの手当てをしていくのも大事なので、くるぶしまでつかる足湯や、足の中指と薬指の間の冷えの急処を押さえるのも効果的です。

冷えるタイミングを見極める

汗ばむ陽気も少なくなって、いよいよ秋の気配が感じられるようになると、「冷え」ということに注意をする必要が出てきます。

冷えがからだに及ぼす影響というのは予想以上に大きくて、風邪を引いたり、腹痛を招いたりするのはもちろんのこと、心理的な変動としても、急な不安や、強情、夜泣きといった現象を引き起こすことがあります。子どもが急に不安がって泣き出したということの背景に、じつは肘を冷やした、なんていうことがあったりするのです。そんなときは、肘湯をして温めてあげると落ち着いてきますが、それくらい人間のからだとこころというのは、密接に有機的に関係しあっているのです。

また逆に、こころが「冷え」に影響を及ぼすということもあります。子どもは元気にたのしくあそんでいる間は、木枯らし吹きすさぶなかを裸足であそんでいても、たいして冷えないものです。「ウチの子はいつも裸足なんですけど大丈夫でしょうか?」と、わたしもよく相談されることがあるのですが、そんなときはたいていいつも「大丈夫です」と答えています。ただ注意をしなければならないのは、親がずっと世間話をしていたり、用事が終わらなかったりして、子どもが外であそぶのに飽きてくると、とたんにスッと「冷え」が入り込むのです。それだけは注意しておかなければなりません。だから外であそんでいるときも、子どもの様子を見ながら「飽きてきたな……」と思ったら、タイミングを誤らず「帰るよ!」と声をかけて、家に入れることが大事です。

とくに「秋の日はつるべ落とし」と言うくらい、秋の日は落ちるのが早いもの。いつまでも外であそばせていて、帰る頃にはすっかり冷え切っていたなんてことがないように、帰りどきを誤らないというのも大事な親の務めでしょう。

それでも「冷えてしまったな」というときは、足の中指と薬指のあいだ(三・四指間)の左右を比べて硬いほうをじっと押さえたあとに、くるぶしまで浸かるくらいの足湯を6〜8分してあげれば、冷えの影響は抜けてゆきます(写真50ページ参照)。

冷えにだけは充分気をつけて、素敵な秋の夕暮れをぜひ親子でたのしく過ごしてください。

肘湯でホッとひと安心

子どもって、まるで熱のかたまりのようなところがありますけど、まさにばんばん熱を発生しながらどんどん動いて成長変化していく時期を生きています。その動きを滞らせるのが「冷え」なんですね。整体で「冷え」というときには、ただ単に外的な要因ばかりではないんですけど、それでも具体的にからだを温めてあげることは、手当てとして大事なことです。

肘を冷やしたなというときには、ちょっと熱いなと思うくらいの温度のお湯を洗面器に張って、肘を浸ける。6分くらい。これが、肘湯。おしゃべりをしながら、絵本を読み聞かせながら、歌をうたいながら、手あそびしながら……、そんな感じでその子といっしょにあそびながらやってみてください。

育児の要は「腰」育て

「子どもを育てる」というときに、整体では「腰を育てる」ということをとても大切なこととして重視しています。

腰という字は、からだを示す「月（にくづき）」に「要（かなめ）」と書きますが、まさにからだの中心というべき部位です。日本語では、口ばかりでちっとも動かないひとを「腰が重い」と言い、大言壮語《たいげんそうご》だがいざとなると躊躇《ちゅうちょ》するようなひとを「腰抜け」と言いますが、そのような表現からもわかるとおり、腰の弾力は行動力や決断力というものに非常に深く関わってきます。

「気づいているけど動かないでいる」という経験、みなさんもしばしばありませんか？　ちょっと動けばすむのに「まぁいいや」と放っておいたり、「わたしがやるのはくやしい」なんて思って憤然として動かなかったり。からだの面から言っておくと、そういうことを続けていると、だんだん腰は重く、硬くなってゆきます。基本的にからだはいつでも、気づいたこと、思ったことに対して何か反応を返そうとしています。それを頭で四の五の理由をつけて動かないでいるということは、動きたがっているからだにブレーキをかけ続けるということなのです。それが続くと、からだもブレーキをかけ続けるのはたいへんですから、やがてアクセルそのものを踏まなくなってきます。つまりいろんなことに気づかないですむように感覚を鈍らせてゆくのです。そうして腰のこわばりが常態化し、勘が鈍り、感覚が鈍くなり、気づかず動けない「からだ」になってゆく。それは決してよいことだとは思えません。

ふだんから腰を軽くしておき、気づいたら動くということ、思ったら行動に表わすということ。子どもの「腰を育てる」というときに、その振舞いの実践なくしては語れません。そしてそのためにはまず、周囲の大人が実践してゆくということが大切なのです。目の前で「気づいたら動く」という実践を振る舞って見せるということ。その実践こそが子どもを導き、子どもの頭（考え）と腰（行動）のつながりを育てます。そのうえで思う存分に、木登り、かけっこ、飛び降りなどの具体的な運動体育をおこなわせる。それが子どもの「腰を育てる」ということの本来の意味なのです。

足腰の動きを軽くするスイッチ

からだを変えるために、何か身につける道具を活用するというのも、ひとつの手です。

朝出かける前に化粧をする方も多いかと思いますけれども、化粧をすると何かモードが変わりませんか？　ちょっと背すじがピンとして、表情も変わって、ひとによっては人格まで変わっちゃったりして……（笑）。ひとにはそんなスイッチがあると思うんですけど、装飾品のような身につける道具というのは、何かひとを変容させるスイッチ的な意味合いがあるんですね。

昔のひとはそういう感覚をもっと敏感に感じていて、だから昔の道具というのはよく考えられていました。腰帯や腰ひもでキュッと腰を締めると、足腰の動きが軽くなりますし、たすきを掛ければ、肩や腕の動きが軽くなります。これは具体的なからだの変化を伴うので、実際やってみると意外なほどに効果が実感できますから、ぜひやってみるといいかと思います。

育児の所作を身につける

おかあさん方に「腰が痛い」とか「腱鞘炎《けんしょうえん》で……」とか相談を受けることがよくあります。みなさんもいざやってみて気がついたのではないかと思うのですが、育児ってかなりの肉体労働なんですよね。子どもは日に日に重くなっていくし、着替えや荷物もどんどん増えていく。昔のひとはふだんから薪割りやら水汲みやらをしていましたから、それなりにからだができていたでしょうけれども、いまではちいさい頃から重いものを持つ機会もそうないですし、それでいきなり育児に突入して、予想外の肉体労働にからだを壊してしまうようです。

それで「どうしたらいいでしょうか?」という相談を受けるわけですが、痛みや症状に対して手当てをしていく必要というのはもちろんあるのですが、まず根本的に「そうならないため」の予防策というものを実践していく必要があるように思います。

それは「暮らしのからだ」をつくっていくということです。もっと具体的にいえば所作や立ち居振る舞いの稽古をしていくということです。昔は「花嫁修業」と称して、茶道や生け花、礼法や日本舞踊と、結婚前に女性がからだの所作振る舞いを身につける習慣がありました。女性からすればその古めかしい風習自体にいろいろな思いもあるでしょうが、整体的な観点から見ると「からだ作り」として非常に優れた面も多くありました。

それらのお稽古ごとのなかでは、「小指を張りなさい」とか、「肘を丸く使いなさい」とか、きわめて具体的な指導のもとに「壊さないからだ作り」というものがおこなわれます。やってみれば気づくことですが、なるほどそうしてみれば重いものでも軽々持てるし、立ち居振る舞いがずいぶんラクになるのです。わたしも一時、礼法を習っていましたが、その所作の理論にはほとほと感服させられるばかりでした。

「育児の身体操法にも稽古が必要」なんて言うと、ずいぶん封建的な印象を受けるかもしれませんが、でもどんなスポーツでも練習が必要であるように、からだを使う以上、それなりの稽古が必要なのではないでしょうか。いまからでも少しずつそのような立ち居振る舞いの稽古をしていくと、からだを壊さないばかりでなく、身を美しくしていけますから、ぜひお勧めしたいと思います。このようなからだを練り上げる稽古は、いまの時代、男女問わず必要なことであると、わたしは強く思っています。

育児のカンは骨盤にあり

子どもの「腰を育てる」ということを前に書きましたが、腰は行動力や決断力というものと深く関わるのと同時に、勘や感覚といったものとも深く関わってきます。もっと正確に言うと、骨盤の可動性というものと関わってきます。よく「理屈」と「勘」というものが対比して語られますが、理屈が「頭の働き」だとしたら、勘は「骨盤の働き」であるとも言えます。直感的、あるいは本能的な判断力といえばよいでしょうか。

昔から、女性の月経や出産のときに「髪をいじらない」とか「針仕事をしない」とか言われるのは、目を酷使したり頭を働かせすぎると骨盤の動きを妨げることになるからなのです。だから「産後の針仕事は目をつぶす」と言って、産後は針仕事をさせなかったり、山村の集落などで出産したばかりの母子を、産後しばらく暗い部屋に閉じ込めて生活させたりしたのも、まったくいわれなきことではないのです。出産という、人間の野生の極みのような行為においては、目への刺激を減らし、頭の働きを少し休めて「からだに任せる」ということが必要なことなのです。

そういういわば究極の野生の状態のときに、感覚が敏感になり、勘が鋭くなるのは当然とも言えますが、それは先ほども言ったように骨盤の動きがもっとも高まっている状態だからなのです。

ところが、頭を使い、目を酷使し、勘や感覚よりも理屈を優先させて行動していると、骨盤の動きが鈍ってきて、そのうち勘や感覚も鈍くなってきてしまいます。

整体で母子の指導をしていくときには、何よりおかあさんの骨盤の動きをスムーズにすることを第一としていますが、それは育児においてもっとも必要とされるのが、あかちゃんの要求を敏感に感じ取るおかあさんの勘や感覚だからなのです。これだけは、頭の中が忙しすぎると、さっぱり感じ取れなくなってしまいます。だから子育て中というのは、ポカンとすることが大事なのです。目の温湿布をして目を休めたり、首の温湿布をして首をゆるめたりして、ちょっとポカンとしてみる。すると骨盤の動きもスムーズになって、からだの調子もよくなってくるし、育児の勘も鋭くなってきます。

大人に必要。ポカンとする時間

ソファや畳に横になり、目の温湿布をしながらフ～ッと息でも吐いて、しばらくボケーッとする。そのときは、あとのことをいっさい考えない。好きなアロマオイルやお香をたてたり、好きな音楽を聴いたりしながら、ただひたすらポカーンとする。

自分の呼吸に帰る時間って、すごくゆるむし、元気になるし、とってもいいですよ。

考えるのに疲れたら、ゆったり、ポカーンとしましょう。

子どもを育てる「認め方」

子どもの行為に対して何か声をかけるというときに、その「認め方」というものはとても大事です。たとえば大人はつい、一心不乱に絵を描いている子どもを隣からひょいとのぞきこんで、「絵がじょうずね～」なんてさりげなく褒《ほ》めてしまいますが、そこで何が起きているかということをじっくり考えてみたことはあるでしょうか。

どんな子どもも、絵を描くことのよろこびを知っています。目の前の真っ白な紙にクレヨンや鉛筆を走らせたときに、自分の手の動いたとおりに線がついていくことは、どれだけ新鮮な驚きとよろこびに満ちていることでしょう。子どもが大きくなって絵を描いているときも、基本的にはその延長線上で「絵を描くこと」そのもののよろこびを味わっています。ところが大人はその行為を何気なしに褒めて、見当違いな方向から認めてしまいます。「絵がじょうずだ」と。

褒められてうれしくない子どもはいません。「絵がじょうずだ」と褒められた子どもは、「じょうずな絵を描くと褒められるんだ」と思って、じょうずな絵を描こうとしはじめます。絵を描くことのよろこびが、絵を褒められるよろこびにすり替わってしまうのです。すると「褒めて、褒めて」と、絵をいろんなひとに見せて回るようになったり、じょうずに描けずに絵を描くのがきらいになったり、自分よりじょうずな他人の絵をぐちゃぐちゃにしたりと、そんな振る舞いをするようにさせてしまうこともあるのです。それは褒めることで絵を描くことのよろこびを奪ってしまったとは言えはしないでしょうか。

子どもの行為をどのように認めるかということは、ほんとうに難しいものです。考えはじめると、子どもに何も声をかけられないようにも思えてくるくらいです。ですが、とにかく大事なことは、認めるときのその焦点を「結果」や「外部」に置くのではなく、その「プロセス」や「その子の内部」に置くということです。「絵を描いている」ということそのものや、絵を描くその子の「心象《しんしょう》」そのものを丸ごと認めてあげるということ。「絵を描くのが好きなんだね」「絵を描くのはたのしいね」と、「絵を描く自分」そのものを認められた子どもは、きっといつまでも絵を描くことのよろこびを保ち続けることでしょう。

「叱言《こごと》」の種はゆっくり芽吹く

「○○しちゃダメでしょう！」と何度叱っても、ちっとも言うことを聞かない子どもが、子ども同士のやり取りのなかでは「○○しちゃダメだよ?」なんて、大人のフリしてちいさな子どもに注意をしていることがあります。親としては「わかってるんなら自分もちゃんとやってよ」と思わずにはいられないかもしれませんが、そこは「大人の練習」をしているその子を、あたたかく見守ってあげてほしいものです。

植物にもその芽が出る時期というものがあるように、叱言にもその芽が出る時期というものがあります。蒔かれた叱言の種からは、その子が「大人になろう」としているときにスッと芽が出てくるのです。整体ではこれを「独立の時期」と言います。

たとえば玄関で靴を脱ぎ散らかす子どもを何度叱ってもその素行が直ら

ない、ということがよくあります。そのときに「ああだこうだ」といろいろ言って無理やりその場でやらせるよりも、「こうやって揃えるものなのよ」と言って目の前で靴を揃えて見せて、それ以上はふれないというほうが、やがて芽が出たときには素直に伸びるものです。そのようなやり方はとても時間がかかるし、何度もくり返す必要があります。けれどもその子の様子を見ていれば、いつかちいさな子どもの前で「大人の役」として、「こうやるのよ」と言って「大人の振る舞い」を実践している様子が見られることでしょう。

子どもはとにかく真似して学ぶものです。だから「ああだこうだ」と言って反発心を呼び起こすよりも、「大人とはこうして振る舞うものだ」ということを目の前で身をもって示してあげるほうが、素直に子どもに染み込んでゆきます。「ああだこうだ」と言い過ぎていると、子どもはそれをそのまま「大人の振る舞い」として身につけ、「ああだこうだ」と理由をつけて振る舞うのが大人なのだと、あるいはひとの振る舞いに「ああだこうだ」と言うのが大人なのだと、どこかで思うようになってしまいます。

叱言は、蒔いてからその芽が出るまでに時間がかかるもの。ていねいに毎日水をやりながら待つことだけが、わたしたちにできることなのではないでしょうか。

素直な「ごめんね」が子どもの手本

「ほら、きちんと謝りなさい。ごめんなさいは?」というセリフをよく耳にします。ひょっとしたらみなさんも、一日に1回くらいは言っているセリフかもしれません。けれども「謝る」ということは意外と難しいもの。みなさん自身はふだんきちんと謝ることができているでしょうか?

「子どもは模倣する存在である」とはよく言われることですが、こういう「ひととのコミュニケーション」に関わる振る舞いにおいては、とくにその影響がはっきり現われます。だから子どもが素直に謝れるかどうかは、まわりの大人が素直に謝ることができているかどうかに、非常に大きく左右されています。

整体では「語りかけ」ということをとても重視しています。おなかの中にいるときにはじまり、おむつを替えるときや、おっぱいをあげるとき、ちょっと離れるときや動かすときも、必ずひとこと声をかけてからおこないます。それは、たとえしゃべれなくともひとりの人間としてあつかうのを大事なことととして考えているからです。必ずひとこと声をかけてから接していくことで、一方的にならぬよう、そこに対話する相手としての存在を意識するよう、親子双方に対しての教育となっているのです。

「謝る」ということは本来、相手にイヤな思いをさせてしまったことを謝罪し、そこに対等な関係を取り戻すための行為です。しかしなぜか世のなかでは多く、力関係をはっきりさせるために「謝罪」という行為が使われています。はっきり言いますが、「謝る」ということは対等な関係であることを確認するためのものであって、力関係をはっきりさせるために「謝らせる」という行為は、これは絶対にやってはいけません。それは暴力であるとすらわたしは思っています。

親子の間においても、「謝る」という行為を通して「対等な関係」を築き上げるということ。大人がまず謝るべきときに子どもに素直に謝り、その振る舞いを見て、子どもは素直に謝るということを学んでゆくのではないでしょうか。そして素直に謝ったあとには必ずそこにすがすがしい関係が生まれるということ。それはひとが対等な関係になれたときに感じる、美しく素晴らしい情緒体験です。未来の社会を担う子どもたちには、ぜひそのことを体験させてあげてほしいと思います。

忙しくて子どもの話を聞けなかったあとは……

子育てって忙しいですよね。やることがいっぱいあって、たいへんだと思います。その忙しいなかで、子どもが何かを訴えているのに後回しにしてしまったり、無視してしまったりすることが、ときにはあるかもしれません。

そのときに「ごめんね」って子どもに素直に口にできればいいんですけど、なかなかそれができない自分もいるかと思います。そこには自分自身の記憶や感情も深くからんでいるかもしれない。そこまで見つめていくことはとてもたいへんなことですが、でも自分がやってしまったそういうちいさな暴力を、ことばにして子どもと共有することはそんなに難しいことではありません。

ちょっと間を置いてからでもいいから、「さっきおかあさん忙しくて、あなたの言うことを聞いてあげられなかったね」と先の出来事をことばにして、二人の話し合いのテーブルの上にポンとあげること。「傷ついた／傷つけたこと」はことばにして共有するということ。「責める」のでもなく「弁解する」のでもなく、「共有する」ということ。それはとても大切なことです。人間関係の問題解決の練習をしているのだと思って、ぜひ少しずつ実践してみてください。

冬のからだ

神経を休め、乾きをうるおす時期

冬は昔でいえば家にこもって手作業をする季節で、手先や頭を細かく働かせる時期でした。手足を大きく動かす夏と違って、冬は目や頭など神経系がよく働く季節なので、神経を休める手当てをしていきます。とくに目の使いすぎからくる首や神経系の緊張は、春のからだへの準備をさまたげてしまうので、目にはやや熱めの温湿布などをしてリラックスをこころがけましょう。

また、空気が乾く冬は、からだも乾きがちなので、こまめに水分補給をして、からだにうるおいを与えておくのも大事です。

冬こそ「水」をちびちび摂《と》る

冬も本番になって空気が乾燥してくると、肌がかさかさしてきたり、唇が切れて痛い思いをする方もおられるかと思います。冬というのは予想以上にからだが乾燥するもの。子どももこの時期、咳が出たり、気持ち悪くなったりしますが、それもからだの乾きがひとつの原因で、ですからこの時期は水をよく摂ることが大切です。それもお茶やコーヒーよりも、生水がよいのです。夏は汗を大量にかくので、水分もミネラルや塩分その他さまざまな排泄物とともに排出されるのですが、冬の場合は皮膚から蒸発してゆくので、純粋に水分だけが足りなくなってくるのです。この時期はふだんから水筒を持ち歩いて、ことあるごとにちびちびと水を摂っておくと、乾きによるからだの不調も減って、ずいぶん過ごしやすくなります。

ところで整体では独特の水の飲み方をします。どうするのかというと、まずひと口目を口に含んだらしばらく口の中でくちゅくちゅとして、1分ほどしたら最初の水はぺっと捨ててしまうのです。そしてその後、改めてちびちびと水を飲む。これは何をしているのかというと、水の吸収要求を高めているのです。口の中をうがいするという意味も少なからずありますが、それよりもむしろからだの「水を飲もうとする要求」を高めるという意味合いのほうが強い。ほかにも背中にストーブを当て、汗をかきつつ飲むという飲み方もありますが、これも同様に要求を高めているのです。

たとえば、ひとにいきなり話しかけても「え？　なんて言ったの？」と言われてしまいますが、「ちょっといい？」とはじめに声をかけ、それから話しはじめれば、ちいさな声でも伝わるのと同じで、どんなものでもまず注意を呼び起こし、感受性を高め、要求を高めてから与えると、その刺激がより大きくはっきり感じられ、また吸収する力がはるかに高まるのです。これは水の摂り方に限らず、ごはんの食べ方、ことばのかけ方、手当ての仕方、勉強の仕方、どんなことにも通じる導き方です。

冬の乾きはなかなか気づきづらいゆえに見過ごされがちですが、たとえば子どもも、お風呂で冷水を飲ませたりすると、急にからだの乾きに気づいて猛然と飲みはじめたりするので、ぜひ実践してみて欲しいと思います。

風呂で飲む水は、うまい！

入浴時、冷たい水を水差しに入れ、子どもの目につく場所に置いておきます。すると、「お水飲みなさい」なんて、言わなくても、水が目にとまれば子どもは勝手に飲みはじめます。

汗をかきながら飲む水はおいしいですよ。おかあさん、おとうさんも、ぜひ、ごいっしょに。

子どものなかの「萌《き》し《ざ》」を大切に

子どもの頃、「さあそろそろ宿題をやろうかな」と思ったちょうどそのとき、親から「宿題はやったの？」と言われて、突然やる気を失くしてしまったなんていう経験はないでしょうか？　自発的に何かをやろうとしているときに命令されてしまうと、「自分がやりたくてやった」という理由付けが、「言われたからやった」という理由になってしまいます。「やりたくてやる」のと「言われてやる」のではまったく意味が違います。それは「間が悪かった」と言えばそれまでですが、せっかく芽生えた自発性を、それに気づかぬひとことが奪ってしまったと言えます。

ひとにことばをかけるということは、ほんとうに難しいもの。とくに成長する子どもにことばをかけるということは、それによって自発性を育てもすれば奪いもしかねない、とても繊細な営みです。

「育ったケヤキの大樹よりも、これから育つケヤキの種にこそ力は宿っている」ということばがありますが、ひとを観察するときに「萌し（きざし）」を観るということを整体ではとても大切にします。「萌し」とは、まだ表には現われていないけれど、すでに内側で動きはじめているような、そんな「動きの種」のことです。それはきわめてかすかなものです。ですが乳歯の下で着々と永久歯が準備されていくように、そこでは、はっきりと次なるステップの準備がおこなわれているのです。

いままさに成長している子どもは、寝ているときにも、あそんでいるときにも、風邪を引いているときにも、必ずそこに新しい「萌し」が蠢動《しゅんどう》しています。それはちょっと注意深く観察していれば必ず見つかるはず。子どもがケガや病気で寝込んでいるときにも、大人がそこになんらかの「萌し」を観てゆくということが、その子どもの自発的な力を呼び起こし、自分の力で克服していこうとする強さを育てることになるのです。ケガや病気を自分の力で経過したあとの子どもの顔を見てみれば、そこに大きな仕事を果たし終えた、力強い自信がみなぎっているのがよくわかるはず。

子どもの熱を出す体力を、要《い》らないものを排泄しようとする力を、ケガの痛みに耐える我慢強さを、治ろうとするからだの叡智《えいち》を観てあげて、ぜひその自発的な力を言祝《ことほ》いでいってほしいと思います。

将来の力の「萌し」を観る

ケガをしたとか、病気になったとか、何か問題を起こしたというときには、ついついそのできごと自体に目が向いてしまいがちです。でもその奥には「成長しよう」という子どもの力が必ずあります。

たとえば植木鉢が倒れてしまったとしても、植物は放っておいても自然と上に向かって伸びていきますね。ひとは、倒れてしまった鉢を見て、何かすべてが台無しになってしまったように思っていても、植物はおひさまの方向を目指して伸びていくんです。その力を観てほしい。熱を出せる「体力」を、イタズラを考える「知恵」を、「イヤだ」と言える「自主性」を、やがて将来の力になるであろうそれら「萌し」を観る。

そういう眼差しで子どものことを見つめてあげると、その眼差し自体が子どもにとってものすごい応援になります。

子どもの呼びかけに「応える」

子どもというのは、ことばをはじめとしたコミュニケーション方法、あるいは表現方法をまだきちんと身につけていません。だからなんらかの要求や訴えが内から湧き起こってきたとしても、それが表に現われるときにはそれとわかりづらいかたちを取っていたりします。「眠い」が「甘え」になることもあれば、「おしっこ」が「ちょっかい」になることもあるし、「飽きた（疲れた）」が「○○が痛い」になることもあります。

大人が要求をことばにして表現するのと違って、子どものメッセージはもっと生々しくてダイレクトで、頭に働きかけるよりもむしろ、感情や身体に直接働きかけるようなメッセージです。

基本的に子どもがなんらかのメッセージを発しているときというのは、子どもの様子が「何か気になる」というときです。ふと子どもの様子が気になったのなら、それはもう自分が子どものなんらかのメッセージをキャッチしているのだと考えるとよいと思います。それがなんなのかは頭ではすぐにはわかりません。けれども何か気になったのなら、その直感は信じていい。わたしはそう思っています。

子どもがなんらかのメッセージを発信していると気づいたときには、そのメッセージに対してきちんと返事をしてあげるということが大事です。そして、そのときに重要なのは「答える」ということよりも「応える」ということです。つい、わたしたちはメッセージに対して「答え（正解）」を出そうとして、どうしていいのか頭を悩ませがちですけれども、子どもに対してまず大事なのは「応え（返事）」なのです。その場ですぐ応えるということ。レスポンスを返すということ。「気がついてるよ」という返事を返してあげること。それはことばかけかもしれない。ふれてあげることかもしれない。見ててあげることかもしれない。それが上の空ではない、きちんとこころのこもった「応え」であれば、子どもは必ずそのこころを感じるし、それだけで気になることが収まることも多いのです。

「呼ばれたら返事をする」。

だれもが幼稚園や保育園で最初に習う教えですが、それがはたしてきちんとできているかどうか、わたしたち大人もまた、もう一度自分自身の振る舞いを見直してみるのも大切なことかもしれません。

子どもの自立は「手放す」ことから

まだちいさい子どもが公園の遊具であそんでいるときに、そばでハラハラしながら見ているうちについ手を出してしまって、子どもに振り払われたなんていう経験はないでしょうか。子どもが育つことを「手が離れる」と言いますが、気づくと心配するあまりいつまでも手放せないということも、またよくあることです。手放さなければ、いつまでも自分の力で立つことはできませんが、手放して見ているには危なっかしくて仕方がない。子を持つ親であれば、だれもが悩むところでしょう。

おもしろいことにからだの面から見てみると、そういう「手放せない」というようなときには、腕の力が抜けなくなっていることが多いのです。ほんとうにいろんなことを抱え込んだまま、握った手が放せなくなっているのです。そういう腕の緊張箇所が、食べ過ぎ、便秘、頭の固さや執着心などと関係してくるということも、そのひとがいろんなものを抱え込んだまま「手放せなくなっている」ということなのかと思うと、なかなかおもしろいものです。

わたしは武術をやっているのですが、たとえば剣を思い通りにあつかおうとしすぎて、余分な力が入って、かえってぎこちない動きになってしまうことがあります。そういう状態を「剣が死ぬ」と言います。ひとにはひとの動きの原理があるように、道具には道具の動きの原理がある。それを無視しては剣は死んでしまうし、それをあつかう人間も力みすぎて疲れてしまうのです。むしろその動きに従うように、邪魔をしないように、手の内をゆるめて、その中であそばせるようなこころもちで持つことが大事なのです。そのときはじめて「剣が活きてくる」。達人ともなれば、まるでその手の内で道具が自ら自由に舞っているかのような、そんな雰囲気をも感じさせますが、それは子どもと接するときでもまったく同じことが言えるのではないでしょうか。

ちょっと握りしめすぎだなと思ったなら、肩の力を抜いて、腕の力を抜いて、いろんなものを手放しながら、子どもを握る手にも少し「あそび」をもたせてみると、子どもも急に活き活きとしてきて自分自身もラクになります。やがていつか来る子離れの練習のつもりで、ときに子どもを握るその手を少しゆるめてみるのはいかがでしょうか。

抱え込みすぎないために、腕の力を抜く体操

気功などでおこなわれる「スワイショウ」という体操は腕の緊張をとるのにとてもよい体操です。足を肩幅くらいに軽く開いて立ち、胴体をまわして、腕をぶら〜んぶら〜んと、からだにまきつくように振ります。腕の力はすっかり抜いて胴体についてくるように。

この体操をやっていると肩や腕の力がどんどん抜けていきます。そうすると肩肘張ったこころがゆるんできたり、ぎゅっと固く握りしめたこぶしがゆるんできたり、いろんなものが手放しやすくなってきます。呼吸法といっしょにできるとさらに効果がありますけれども、とりあえずは何も考えずにポカンとしながらやってみましょう。

「終わり方」の技術

何事も「終わり方」というのは大切です。食事の終わり方やあそびの終わり方、あるいは叱言の終わり方や一日の終わり方など、どれもそのできごと全体を決定づけるとても大事な締め括りです。整体や多くの自然療法では、病気というものを「からだが変わろうとするプロセス」として積極的に捉えますが、病気という現象をきちんと活かすためには、やはり「終わり方」というものがとても大切なことになります。

子どもが病気をしたときというのは、基本的には大人に甘え、注意の集注を要求してきますが、その経過の最後にはふたたび自分の足で立とうという独立の要求が高まってきます。このとき、この独立の要求をうまく導き活用するというのが、病気というプロセスを通じて子どもの成長を促すための大事なポイントです。

たとえば「抱っこ」と甘えてきた子どもを抱っこして、しばらくして「もういい」と言って子どもが離れようとしたときに、「もうちょっと抱っこさせて」とひとつ余分に抱っこをすることは、子どもの独立要求を高めることになります。逆に「抱っこ」の要求を「あとで」と抑えれば、集注要求をさらに高めることになり、「抱っこ抱っこ」の要求が湧いてきます。

病気のときは、手当てをしながらまず子どもの集注要求を満たしてあげることが大切ですが、病気の経過もぼちぼち終わりが見えてきたら、今度は独立の要求を高めてあげるようにします。たとえば病気を経過したあとのたのしい出来事などを空想させつつ「でもまだまだ」と言って、少しそれを抑えることをします。子どもも元気が戻ってきて早くあそびに行きたいときに、「最後が肝心なんだ」とかなんとか言って、子どもの要求以上に集注してあげるのです。

すると、そうして最後にひとつ余分に抑えられた独立要求は、その抑制が外されたあとにグンと大きく発揮されることになり、まるでいままでの病気のことなど忘れてしまったかのように元気が満ちてきます。

病気というのは、何かが変わるチャンスです。そのように積極的に捉えて手当てをしながら、子どものなかの元気を導いていってあげてほしいと思います。

「風邪を引くたび　元気になるのが　よい看病」。

看病はひとつ余分に気をかける

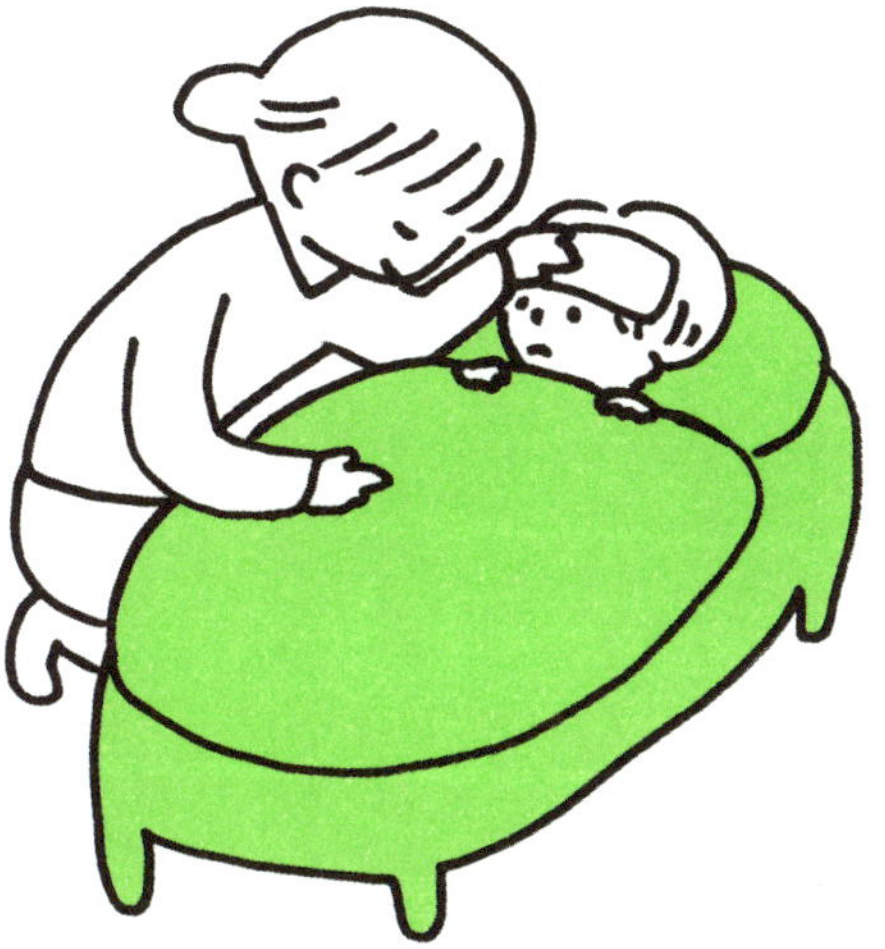

子どもの要求以上に集注するというのは、これはひとつの誘導法で、子どもの要求を子どもが期待している以上に満たしてあげると、子どもは次へ行こうとするんです。子どもが「もういいよ」ってうっすら思うくらいまでやると、ちょうどいい。

看病のときも、子どもがだんだん元気になってきてあそびたくてうずうずしているところに、「脈がまだ戻っていない」とか「まだ平熱じゃない」とか言って、もう少し寝かせておく。「これをきちんと経過するとすごい丈夫になるんだ」とか言いながら、相手がもう離れたがっているところに、ひとつ余分に引き留めるようなことをする。すると子どもは「え〜っ」といやがりながらも、何か要求は満ちるんです。

ただあんまりしつこいと子どもに本気でいやがられますから加減は気をつけてくださいね。「隠し味」程度がいいんです。

病気を全《まっと》うするための看病

どんな変動も「全う」することが大事だと、整体では考えます。熱や病気は確かに苦しいし不安です。こころもからだも揺れて不安定な時期です。でも、だからこそまわりの大人が「安心」を与えて、その経過を支えてあげる必要があります。

子どもが熱を出したときには、大人はまず熱を出すその体力を認めます。「こんなに高い熱が出るなんて体力がある証拠だ」と褒め、「これを出し切ればぐんと成長するぞ」と励ましてあげます。場合によっては「もうちょっと出るといいんだけどな……」なんてこぼしてもいい。大人がその現象を積極的に捉えることが子どもの安心感を引き出すのです。逆に微熱が続いてなかなか熱が高まらないようであれば、後頭部の温湿布をおこなうと一気に熱が高まって、そのあと汗がバーっと出てきてすっと下がります（写真55ページ参照）。最初はちょっとこわいかもしれませんが、一度やってみるとその通りになるからおもしろいものです。汗がバーっと出てくればもうどんどん経過していきますが、かいた汗を引っ込めないように冷たい風には気をつけます。ときどきからだを拭いてあげたり、服を着替えさせてあげること。汗には熱を放出する役割のほかに、老廃物を排出する役割があるので、きちんと出し切らせるのが肝心です。

風邪のときは食欲が落ちるものですが、これは要求にしたがって落としてもかまいません。水分の補給さえきちんとやっていれば、栄養は落としたほうが風邪の経過はむしろよいのです。下痢や嘔吐、あるいは発疹《ほっしん》が出ているときには、右肋骨の下端部、肝臓の近辺に手当てをします（写真55ページ参照）。ここは「掃除《そうじ》活点《かってん》」と言って、あらゆる排泄の手当てのポイントとなるので、その部分を手当てしたり、温湿布してあげるとよいでしょう。

とにかく、からだはいつだって必要なことを必要なだけおこなっています。もしそれがなければ、わたしたちは1秒だって生きてはいられないでしょう。その力を信じるということ。子どもはいつだって何かにチャレンジし、また乗り越えようとしています。わたしたち大人にできるのはそれを応援してあげることくらいでしょう。

最後の仕上げは子どもの手で

病気の「終わり方」ということについて前に書きましたが、整体で考える「終わり方」の大事な原則として「完成を自分の手でさせる」ということがあります。

たとえば、子どもが服のボタンを留めようとしているときに、途中まで自分で留めて、上のほうの留めづらいボタンを最後に大人にやってもらうのと、最初に留めづらいボタンだけ大人が留めてあげて、それから残りのボタンを自分で留めて完成させるのでは、その意味はずいぶん異なったものになります。最後の仕事を自分の手でおこなうのか、だれか大人にやってもらうのか、わずかな順序の差であるようにも思われるかもしれませんが、そこで起きている運動は、まったく違う印象を子どものこころに残します。

シュタイナー教育の子どものおもちゃにヴァルドルフ人形というものがありますけれど、あれも子どもが自分で人形の表情を空想できるようにするために、つくるときにはとても素朴な表情でとどめておきますが、それも「完成を自分の手でさせる」ためのひとつの方法です。

現代の大量消費社会は、本来自分がやるべき仕事をだれかに代行してもらうことで成り立っていますが、そのように高度に発達したシステムのなかで、わたしたちには見えづらくなってしまっているプロセスがあります。そのプロセスをぼんやりとでも子どものときに体験させたり、空想させたりしておくことは大切なことです。それはわたしたちが「生きている」ということの根っこの部分に関わってきます。

世界は用意されているのではなく、だれかに完成してもらうのでもなく、自分の手で完成させてゆくという原体験が、世界と積極的に関わる姿勢をつくり、ひいては子どもの気力、体力、知力、元気を育てることになるのです。それらは決してお仕着せでは育ちません。自分のなかから湧いて出てくるものなのです。

病気が治っていくということも、ケガが癒《い》えてゆくということも、いままでできなかったことができるようになるということも、それは結局自分のもっている力の発揮によるのだということ。その事実を子どもに実感させてあげるために、大人は慎みをもって信頼をもって、子どもがやるべき最後の仕事を大切にしてあげてほしいと思います。

子どもが生きている世界―おわりに

「それを話すためには、まずおまえの中でことばが熟さなくてはいけない」

この言葉はドイツの児童文学者ミヒャエル・エンデの名作『モモ』（大島かおり訳、岩波書店）のなかの一節です。主人公の少女モモが、素晴らしい世界の秘密を初めて知ったときに、「みんなに話してもいい？」と時の番人マイスター・ホラに尋ねた時に言われたセリフです。

わたしたちは、何かを体験した時にすぐさまそれを言葉にできるつもりでいますが、それがほんとうにわたしたちの言葉となって語れるようになるまでには、じつはずいぶんと長い時間を要するようです。

わたしがふだん子育て講座をおこなうなかで一番大事にしていることは、その言葉になる前の「言語以前の世界」です。わたしたちは何かを感じたあとに、それが言葉になるまでのわずかな間、おぼろげであわいな世界を生きています。そこには世界がまだ名前をもたなかった時代の面影が残されています。すべてがまだ未分化で、やわらかくつながっている、そんな世界。

ですが考えてみれば、じつはそれこそがまさに子どもたちが生きている世界なのではないでしょうか。言葉を知らずモノの名前も知らない子どもたちは「言語以前の世界」を生きています。そこではみんな言葉をもたないゆえに、言葉以外の五感を使って、からだでコミュニケートしています。世界をからだじゅうで見て、からだじゅうで聴いて、からだじゅうで味わっている。なんて豊かな世界なんでしょう。

そんな世界の住人に、わたしたち大人はどのようにして接していくのが作法として適《かな》っているのでしょうか？　わたしとしてはやはり、わたしたちもまたその「あわいな世界」を、「言語以前の世界」を、もう一度しっかり感じ直してみることからはじまるような気がしてなりません。

わたしが「野口整体」や「シュタイナー教育」といったものにこころ惹《ひ》かれてならないのは、その部分をとても丁寧にすくい上げて、その世界の住人である子どもたちと美しく対話するすべを教えてくれるからです。その美しく素晴らしい世界を、言葉のもつ暴力的な力で壊してしまうことなく、繊細でみずみずしい感受性そのままに共有する方法を、わたしは二つのメソッドからじつに多く学びました。

子どもたちは言語以前に多くのことを感じ、からだじゅうで世界と語り合っています。わたしたち大人がそのことに気づかないのだとしたら、それはわたしたちがそれを感じる能力をいつしか忘れてしまったからにほかなりません。

各地で講座や講演をおこなっていると、おかあさん方にさまざまな悩みの相談を受けます。それはどれもがそれぞれたいへん切実な悩みでした。けれどもわたしはそんな悩みを聴くたびに、「言語以前の世界」のことをふと思い出すのです。悩みの相談を聴きながら、わたしはいつもそのひとのからだ、子どものからだが語っていることに同時に耳を傾けます。すると、そのひとが語っている言葉とは別に語られていることが浮かび上がってきて、それがこれからおこなうべきことの方向性を示唆してくれることがたくさんあるのです。

みなさんも何か悩むことがあったときには、ぜひからだに聴いて、そして子どもに聴いてみてください。くり返しになりますが、子どもこそはまさに「その世界に生きている」んです。子どもを見て、聴いて、さわって、それらが語っていることに耳を澄ましてみてください。きっとそこには悩みを解決する糸口があるはずです。本書がみなさんにとって、そういう在り方を身につけるひとつのきっかけになれば、わたしとしてはこれ以上幸せなことはありません。

最後になりましたが、わたしを整体の道へと導いてくれたミュートネットワーク代表の河野智聖先生には、この場を借りて深くそのお礼と感謝の言葉を申し上げたいと思います。そして、ともに切磋《せっさ》琢磨《たくま》するミュートの仲間たち、わたしの子育て講座を応援しまた支えてくれるおかあさんたち、わたしにいつも大きな勇気と深い気づきを与えてくれる子どもたちにも、この場を借りてお礼を申し上げたいと思います。そのすべてのひとたちが、いまのわたしを育ててくれました。

そして、それら素晴らしい出会いのすべての元を生み出してくれたわたしの父と母に、最大級の「ありがとう」を贈りたいと思います。

二〇一〇年五月

山上　亮

著者プロフィール
山上　亮（やまかみ・りょう）
東京生まれ。整体ボディワーカー。ミュートネットワーク所属。野口整体とシュタイナー思想の観点から、人が元気に暮らしていける「身体技法」と「生活様式」を研究。からだの感覚を磨き、からだの声に耳を傾けることで、からだの智慧を現代の生活に活かす方法を提唱している。整体指導、子育て講座、精神障碍者のボディワークなど、幅広く活躍中。［月刊クーヨン］に整体エッセイを好評連載中。著書に『整体的子育て入門』（こどものとなり編集部）などがある。
ブログ：雑念する「からだ」http://zatsunen-karada.seesaa.net/

本書は［月刊クーヨン］（クレヨンハウス発行）2008年4月号～2010年3月号に掲載した
「亮さんの整体ばなし」に加筆修正し、書き下ろしを加えて編集しました。

子どものこころにふれる　整体的子育て

発行日　2010年6月10日　第1刷
　　　　2011年1月 7 日　第5刷

著　者　　山上　亮

発行人　　落合恵子
発　行　　株式会社クレヨンハウス
〒107-8630
東京都港区北青山3-8-15
TEL. 03-3406-6372
FAX. 03-5485-7502
e-mail　shuppan@crayonhouse.co.jp
URL　http://www.crayonhouse.co.jp/

印　刷　　中央精版印刷株式会社

ISBN 978-4-86101-173-3
C0037　NDC599　104p　19 × 15cm

乱丁・落丁本は、送料小社負担にてお取り替え致します。
価格はカバーに表示してあります。